VOGUE
时尚养身坊 系列
BODY-BUILDING
HOUSE

Massage
for
Health

舒体推拿

［英］苏珊·玛姆福特 著

王月芳 卓 莉 译

中国轻工业出版社 东方出版中心

图书在版编目 (CIP) 数据

舒体推拿 / [英] 玛姆福特著；王月芳，卓莉译. —北京：中国轻工业出版社，2006.1
  ISBN 7-5019-5147-0

  Ⅰ. 舒... Ⅱ. ①玛...②王...③卓... Ⅲ. 按摩—疗法
Ⅳ. R454.4

中国版本图书馆CIP数据核字 (2005) 第122036号

First published in 1997
under the title MASSAGE FOR HEALTH
by Hamlyn Publishing, an imprint of Octopus Publishing Group Ltd.
2-4 Heron Quays, Docklands, London E14 4JP

Copyright © 1997, 2001 Octopus Publishing Group Ltd.
Text © 1997 Susan Mumford
The author has asserted her moral rights
All rights reserved

Licensing Agent: Asia Pacific Offset Ltd., Hong Kong
&
Integrated Image Co. Ltd., Guangzhou (www.bookgate.com.cn)

Chinese Translation © 2005 Anno Domini Media Co. Ltd., Guangzhou
译文由广州公元传播有限公司提供

版权合同登记号：图字09-2005-364号
所有权利保留

图片支持：👁 www.fotoe.com

Massage for Health
舒体推拿

VOGUE
时尚养身坊 系列
BODY-BUILDING
HOUSE

作　　者	[英]苏珊·玛姆福特
译　　者	王月芳 卓 莉
特约编辑	蔡国才
责任编辑	雅 歌
责任终审	孟寿萱
装帧设计	唐 薇
出版发行	中国轻工业出版社（北京东长安街6号）
	东方出版中心（上海市仙霞路345号）
经　　销	新华书店
制　　作	广州公元传播有限公司
印　　刷	广州培基镭射分色印刷有限公司
规　　格	889×1194mm 24开 5⅓印张 38千字
版　　次	2006年1月第1版第1次印刷
书　　号	ISBN 7-5019-5147-0/TS·2972
发稿单号	50707S2X101ZYW
定　　价	20.00元

若有印装质量问题，
请致电020-33199099联系调换。

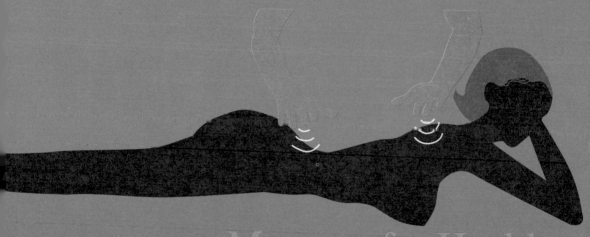

Massage for Health

舒体推拿

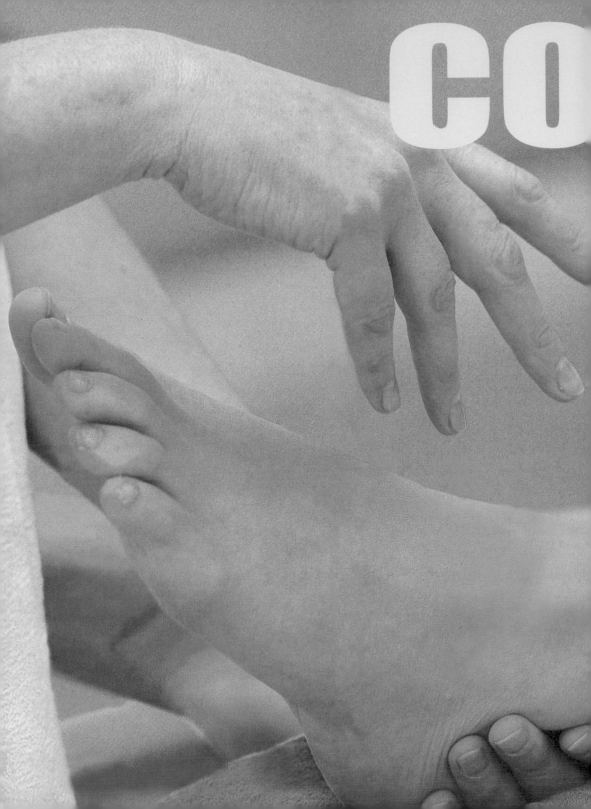

CO

目录

How to use this 如何使用本书

本书分为6个主要部分

1.前言 重点解释能量作为康复力量的概念，以及在不同年龄段和不同文化的情况下如何增进身心的和谐。

2.康复技巧 介绍几种形式不同的康复技巧，既有直接针对身体的技巧，也有非身体方面的技巧。在这一章中，我主要阐述"感觉技巧"，但也将"给予技巧"、"连接技巧"、"平衡技巧"和"放松技巧"等内容包含进去。

3.按摩技巧 针对舒体推拿，我为读者提供了不同的按摩推拿和推压的具体步骤。本部分一开始讲述了最常用的按摩技巧，而推拿技巧则应该与第四部分的舒体推拿方法结合使用。

4.舒体推拿 描述如何进行全身按摩和如何运用不同的推拿方法。这些按摩可以减轻疼痛，放松身心，恢复体能。在这个部分里，专门给出了指导性的按摩方针，图中虚线展示了大致的按摩技巧指导，暗示了按摩者的按摩用力方向，实线则展示按摩推拿应该采取的方向。

5.常见病痛 告诉读者如何治疗各种常见病痛，比如头痛、痛经问题，关节疼痛、肌肉酸痛和血液循环，呼吸系统和消化系统疾病等。本部分将一步步介绍如何按摩这些身体病痛部位，还将介绍按摩师给不同的患者按摩的个人感受和经验。

6.自我保健 这个部分主要阐述我本人的康复理念，即我们每个人都具有的一种能力——自我康复能力。我将介绍如何进行个人保健。

由于我们常常忙于照顾他人而忽略了自己的健康需求，因此，使我们自己的身心同时得到放松和平衡，适时保护好自己身体和满足精神上的需要，这是自我康复的重要保证。

我想告诉你的是，不需要按摩的医疗证书，你的手感即可引导推拿。本书可以让你对自己的肌肉组织和骨骼组织有基本的了解，这些内容以图画形式展示了人体骨骼和人体表层主要的肌肉组织。

背部肌肉按摩在舒体按摩中尤其重要，我们时常要注意背部上方、肩膀两旁的斜方肌；另外，还要常常放松背廓肌和臀肌。脊骨在按摩中也非常重要，要特别注意颈椎、上背部和骶骨。最后，了解关节运动的规律对按摩也很有帮助。

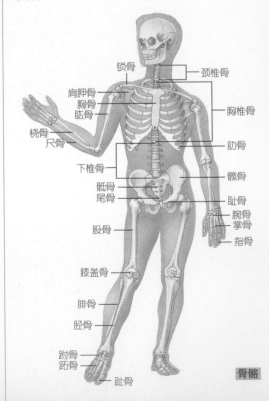

锁骨
颈椎骨
肩胛骨
胸骨
肱骨
胸椎骨
桡骨
尺骨
肋骨
下椎骨
髋骨
骶骨
尾骨
趾骨
腕骨
掌骨
股骨
指骨
膝盖骨
腓骨
胫骨
跗骨
跖骨
趾骨

骨骼

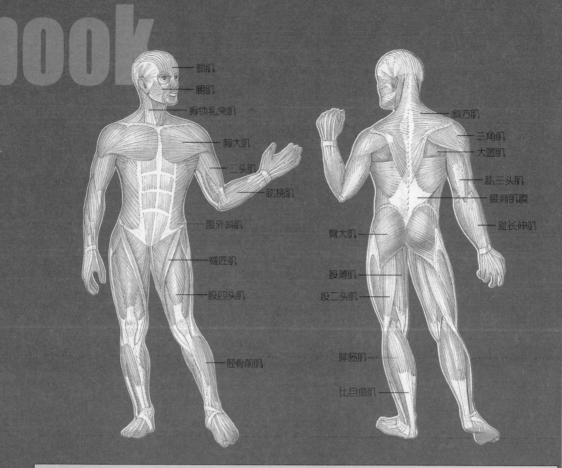

额肌
嚼肌
胸锁乳突肌
胸大肌
二头肌
肱桡肌
腹外斜肌
缝匠肌
股四头肌
胫骨前肌

斜方肌
三角肌
大圆肌
肱三头肌
腰背肌膜
趾长伸肌
臀大肌
股薄肌
股二头肌
腓肠肌
比目鱼肌

按摩禁忌

按摩者请注意：

·为孕妇按摩时，请减轻用力力度。请勿按摩怀孕4个月以内的孕妇腹部。
·为婴幼儿按摩时，需采用轻抚推拿法。
·请勿按摩静脉曲张部位、伤口或者疤痕、肿胀部位、肿瘤、皮疹或感染部位。
·如果接受按摩者心脏不适，需征得医生同意方可按摩。
·如果按摩过程中接受按摩者感到剧烈疼痛，需要向医生寻求帮助。

接受按摩者请注意：

·孕妇按摩前需要咨询一下医生。
·接受按摩前两小时内避免饱食。
·接受按摩前6小时和后6小时内需避免饮酒。

按摩提醒

按摩准备：

·按摩环境应该温暖舒适。
·被按摩者所躺地方需要坚固舒适。
·请勿带任何首饰，确保指甲剪短。
·全身按摩时需要再参考本书的按摩技巧部分。
·每次按摩前后都要洗手。
·给别人按摩前，应该先在自己身上试验一下这些按摩技巧。

按摩：

·每次按摩持续时间为45～60分钟。
·使用几滴葡萄籽油或者甜杏仁油。
·除有另外说明外，需要多次重复每个推拿动作。

本书所述按摩技巧只作为指导，而不可替代专业训练或者药物治疗。

前言

INTRO-DUCTION

按摩，一种康复的力量。

按摩一直以来都具有独特的魅力。很久以前，我们就已经知道它的存在，但是，要对它进行比较准确的描述却往往并不那么容易。我们经常会从按摩那里谋求医治，是因为我们想让自身病症出现转机，而事实证明，借助按摩进行医治，确实能给我们的病症带来一些转机。

尽管按摩无需拥有特殊的信仰，但爱和同情却是很关键的因素，要探索按摩这个神奇的领域，需要用热情和精神去接触人体，而不仅仅是用力气。这听起来似乎有点玄，事实却就是这样：按摩基本上是全心的投入和责任心共同作用的结果——对人对己都如此。

何为康复?

关于康复,字典给了我们很好的解释:恢复健康或者治愈病症。许多方法可以促进康复,例如西药,草药配方,身体治疗或者心理治疗,休息,营养,新的兴趣,与朋友建立关系和爱。其中任何一种方法都可以使我们身体重获平衡,重拾健康。

如果人体内各种机能不和谐,精神势必萎靡不振,人就会生病。人体需要平衡。忽略情绪或者精神需求与忽略身体需要一样,都会引起人体机能的衰退,从而导致疾病。

毫无疑问,疾病、病痛和死亡都属于生命的一部分。有些人乐观地看待疾病,认为疾病为自己提供了解决体内冲突的机会,从而使自己身体的机能得以正常运行。而且,很奇怪的是,疾病经常会出现在一个人的人生需要转变的时候。它是不是提醒人们注意,这是一个转变和反省的时机?而它的出现就是为了加速危机的产生,从而使人们能够重新认识自己,评价自己?

有人认为,疾病是发生在我们身上最好的事情,无需医者人为地消除这种经历。

本书所关注的康复形式可能是最传统的典型——通过非侵入性的治疗而重获健康。

通常,我们通过双手在身体上的轻抚或者轻抓获得康复。接受按摩者会有一系列的感觉,从最初不适应的轻轻的刺痛、血液涌流或神经波动,到适应后放松的舒适感觉和幸福感,都实实在在地表明:康复的目的就是带来转机。

身体及其机能的病痛与思想、情绪、精神密切相关,它们之间是一种动态的互相交换互相传输的过程。正如给电池充电,康复就是按摩者输送能量给被按摩者的过程。按摩者需要用自己的感觉来获得被按摩者的健康状况,所要做的是为被按摩者补充体力,使其可以进行自我恢复。因此,按摩者在康复治疗过程中仅仅起引导作用,最终起作用的是自我康复。正所谓"师傅领进门,修行在个人"。

康复治疗的过程不是智力活动,因此很难用语言来描述。按摩者和被按摩者之间的动态关系在治疗中极为重要。为达到治愈的目的,双方都必须自发积极地参与治疗。对不同的治疗方法有许多不同的评价,但是我们不会说哪一种方法比另外一种方法更好。

不过,有一点尤其要提醒各位重视:最好的康复治疗不是来自患者自身的精力,而是来自某些外界力量。

何为能量？

能量是一个用来描述活动的术语。它组成了我们生活的世界，无处不在。它来自于地表，存在于大气，在人体内循环。可以说，任何事物都是由能量组成，且都有其独特的存在方式。

我们无时无刻不在交换能量。我们知道，宇宙是由各种复杂的、经常变换的物质相互作用构成，每个物体都不能脱离其他物体而独立存在，都会与构成整体的其他部分存在这样或那样的关系。事实上，能量的本质应该从它与周围事物的关系来界定，我们只能通过它与每一种事物的关系来理解它。

能量是动态的，它总是在变化的过程中形成新的存在方式和联系，而这些方式和联系也处于不断变化之中，且有其独特的生命周期。这就决定了任何物体都不可能绝对静止不动，都会不断变化。理解了这些，我们就会理解自己与康复治疗的互动关系的关键部分。

首先，我们不应该把自己看成是静止不变的或者是脱离其他事物而独立存在的物体。虽然，我们很多人确实认为自己脱离其他事物！我们感觉孤独难耐，离群索居，或者相反，我们感觉备受他人压制，感觉自己迫切需要依靠自己。但事实上是，我们都只是整体中的一个部分，而能量是自然界固有的。因此，我们实际上只是能量的一个载体。

通过基尔良摄影——揭示简单个体或所有生物体内生物原生质的技术，我们可以确确实实地看到能量的存在。在康复治疗过程中拍摄的能量输出的照片，显示了治疗过程中发生的一些能量变化。

确实，能量这个词对不同的人有各种不同的意义。我们通常用这个词指精力或者生命力，还可以指某种难以名状的感觉，或描述某个有特殊感召力的人。我们对该词下定义的能力多半局限于个人的经历，所以我们是在尝试描述不可描述的事情！

在本书中，我们用"能量"一词指人体周围和在人体内循环的能量。在东方的概念和康复治疗中，能量用来指"气息"或"气"，是治疗者发出的能够促使病症发生变化的能量，与我们通常所指的能量其实相同。

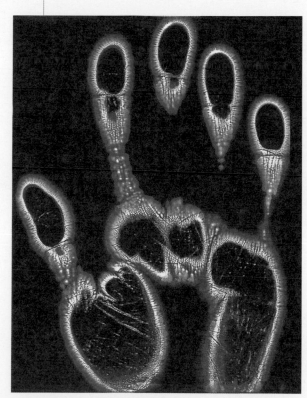

基尔良摄影技术显示的手：在被测人之手与所施加的电场之间的高能量相互作用下获得的图像。

能量场

作为个体，我们每个人周围都有自己的能量场，称为人体场。即使我们可能没有意识到这些能量场的存在，我们却依然可以感觉到它们，有些人甚至可以看到这些能量场。他们能够看见能量场内的不同色彩，甚至，不通过接触就可以治愈患者的伤痛和疾病。这些能量场中的能量不断地在相互作用——彼此相互作用，与场内的其他个体相互作用，与整个环境相互作用。

人体辐射出来有四个场（或层），其形状大致是鸡蛋形的。最里面的一层被称为以太场或生命能量场。把手伸到距离身体1～5厘米外，自己就可以感觉到它的存在。如果半闭着眼睛，像看另外一个人一样，也可以看见该场。该场与人体紧密联系，也是我们在按摩中会用到的能量场。与身体每一个细胞紧密相连的能量链构成的复杂结构组成以太场，以太场参与能量转换和同化作用。

再往外层的两个场是情感场和智力场。情感场和智力场通常联系在一起，被称为星际场。情感场距离人体周围约1.25米，掌管人体的感觉和情绪，其模式随着人体感觉的变化而变化。智力场掌管人体的智力和理性思维，且受情感影响。观念和映像在该场产生，并且从远距离就可以感觉到或者投射出。

第四个场叫做起源场或者精神场，与整个宇宙紧密联系。智慧、同情和直觉都来自精神场。

这四个场不停变化，互相影响。如果它们之间不平衡，就会渗入以太场而引发疾病。

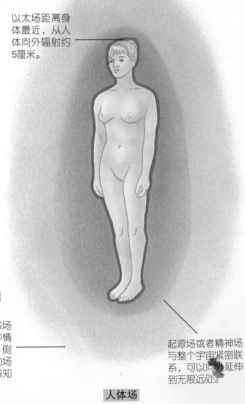

以太场距离身体最近，从人体向外辐射约5厘米。

星际场包括情感场和智力场，其中情感场在人体外侧1.25米，而智力场从远距离即可感知或者影射。

起源场或者精神场与整个宇宙紧密联系，可以向无限远处延伸到无限远处。

人体场

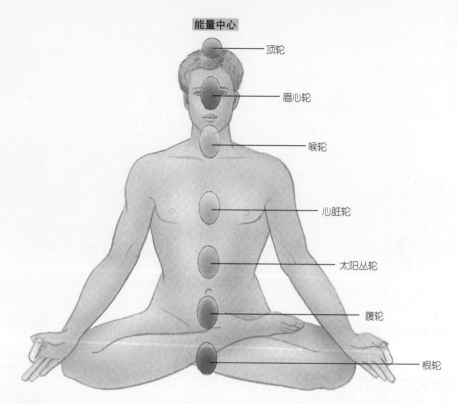

能量中心

顶轮

眉心轮

喉轮

心脏轮

太阳丛轮

腹轮

根轮

能量中心

查柯拉存在于以太场交叉集中的地方。查柯拉（chakra）一词是梵语，可以粗略地翻译为轮，也即是人体的能量中心。与人体相关的共有7个主要的轮。一般认为，这些轮是旋转的旋涡，参与人体内部的能量转换及人体和其他次能量场间的能量转换。每个主要的轮都与神经系统联系，位于人体神经中枢和淋巴结部位。这些轮还与人体的内分泌系统相关，而且每个轮都有其对应的腺体，且相互影响。

这7个轮分布在脊椎骨沿线上，不论从胸前还是背后都可以感觉其存在。它们更像能量转换器一样，为身体源源不断地提供能量。这些能量通过各种路径到达人体内其他许许多多更小的能量中心——例如，手上有

次级能量轮。每个轮都和身体的某个部位相关联，并且影响该部位的器官功能。另外，每个轮都有各自的颜色，并有各自的情感和心理特性。许多东方乃至西方的传统都有类似的能量模式，各个传统模式之间会略有差别，因此在某种程度上很容易引起混淆。不过，这些模式只供查阅信息和参考。随着你对康复治疗这个课题的研究的加深，并开始获得实际经验以后，你会发现你的洞察力和理解都会进步和提高。

第一个轮：基底轮或根轮

此轮掌管人体的生殖腺和卵巢，是红色的，与原气相连，位于脊椎骨底端，掌管再生系统和脊柱。此轮与肉体联系甚为密切，并且掌管性、人体动能和生存，并使人体能稳固地站立于地面。由于此轮影响其他各轮

的平衡，而被认为是人体的根基或者能源中心。

第二个轮：腹轮

此轮位于腹部，掌管肾上腺。它与骨盆、腹部和下部椎骨相关联。它还掌管膀胱、肾（通常与恐惧有关）和消化系统。此轮有时与脾相连，据说对人体的免疫功能非常重要。其颜色为橙色，与生命力、性功能和身体平衡有关。在学习瑜伽功和武术时，此轮很重要。

第三个轮：太阳丛轮

此轮位于太阳丛，掌管胰腺，与胃、肝脏和脾脏相关。其颜色为黄色，产生智力和自然情感能量。情感上的不平衡或者情感表露，例如生气，都在这里显现出来。此中心与自我和意志力有关。感觉到压力大或者身体上比较敏感的人，会感觉到此部位有紧张感。

第四个轮：心脏轮

心脏轮掌管胸腺。此轮与心脏、循环系统、胸部和下肺部相关联。此腺体在免疫系统中起重要作用，其颜色为绿色，与爱、同情和感觉相关。为达到康复的目的，你需要用心来配合治疗。但是请注意：此中心容易失衡，也容易超负荷。

第五个轮：喉轮

此轮位于喉部，与甲状腺相连。相关的器官有肺、呼吸系统、咽喉和上胸部，其颜色为蓝色，与表达能力、交流能力和创造能力有关。此区域的任何损伤都会引起喉咙痛或者肩膀酸痛。通常与康复相联系。

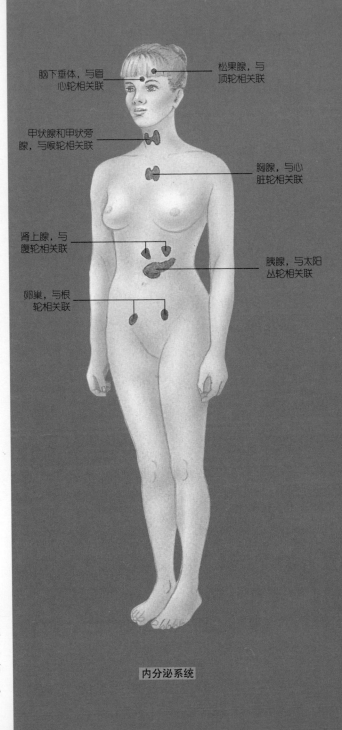

脑下垂体，与眉心轮相关联

松果腺，与顶轮相关联

甲状腺和甲状旁腺，与喉轮相关联

胸腺，与心脏轮相关联

肾上腺，与腹轮相关联

胰腺，与太阳丛轮相关联

卵巢，与根轮相关联

内分泌系统

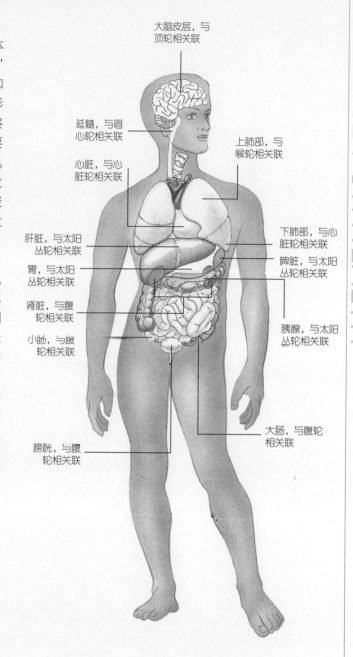

第六个轮：眉心轮

此轮位于眉心部，掌管垂体腺，即通常所说的"第三只眼"所处的位置。此轮与头骨底部和延髓相连，其颜色为靛青色，影响人的智慧、知识、直觉和洞察力。此轮在康复潜能中扮演重要角色，并且影响人的精神能力。但是，如果人体剩余能量尚未发展，或者失去平衡，而此区域聚集了人体过多的能量，便会引发疾患。

第七个轮：顶轮

此轮位于头顶，掌管松果腺。此中心联系头顶和大脑皮层，其颜色为紫色，影响人的知觉、创造力和精神状况，还代表人体最高的欲望和我们与其他一切事物相联系的潜能。

我们都愿意将自身视为精神的，但是仅仅将自己完全集中在精神上面，会导致人体失衡，打乱人体活动规律。人体所有的中心都应该处于平衡状态之中，我们也必须在各方面有一个坚固的基础，以便建立其他东西。

大脑皮层，与顶轮相关联

延髓，与眉心轮相关联

心脏，与心脏轮相关联

上肺部，与喉轮相关联

肝脏，与太阳丛轮相关联

胃，与太阳丛轮相关联

肾脏，与腹轮相关联

小肠，与腹轮相关联

下肺部，与心脏轮相关联

脾脏，与太阳丛轮相关联

胰腺，与太阳丛轮相关联

大肠，与腹轮相关联

膀胱，与腹轮相关联

人体解剖

康复简史

关于康复治疗，目前还没有出现新的观点。纵观历史，各个民族、各种文化、各个部落以及各种文明都认为，身体和精神，健康、疾病和康复的力量是密切相连，不可分割的。例如，在非洲、亚洲、北美洲和澳洲的本土文化中，无论是过去，还是现在，人们都非常注重传统的康复治疗法、和谐的关系和对大自然的敬重。

无论在哪种文化或哪个民族，有法术的人、治疗者、沙门和牧师，都有其特定的职责，总以谋求本社会特定的精神和肉体的健康为己任。在印度、中国的西藏这些东方文明中，思想和精神对肉体和健康的影响一直备受关注，并且交织在理论和实践体系中。古老的康复治疗实践如今仍然在流传，宗教导师和瑜伽的理疗力量依然保持其奇特魅力。

回顾一下古埃及和古希腊的历史，我们可以发现，影响我们的最早的一个例子是作为牧师的康复治疗者伊姆贺特普——公元前27世纪生于古埃及，逝后被尊为神。

在古希腊，阿斯科列比亚斯被视为颇有影响力的康复治疗者，和伊姆贺特普一样，在他死后，人们不仅将他奉为神，还建起寺庙来供奉他。他的徽章——杖和毒蛇，如今依然是药的象征。另外一个古希腊的哲学家，毕达哥拉斯，生于公元前6世纪，既是一名康复治疗者，又是一名医生，他相信某种康复力量确实存在，并且认为健康源于人的精神和肉体的和谐。

公元前5世纪，古希腊最著名的医生希波克拉底认为大自然对人体重获健康和和谐有治疗作用，并提倡感性生活以避免引发疾病。希波克拉底的箴言涵盖了他制药的原则和规范。时至今日，西方医生在给病人治病时，仍然会遵循这些原则和规范。

与穆罕默德和佛一样，耶稣也是举世闻名的治疗者之一。《圣经·新约》提供了40多种康复治疗的参考，旧约中也有不少的康复治疗的参考。生活在公元前1～2世纪的艾赛尼派宗教教徒，也认为生活和谐可以治病。精神的康复力量无论在过去还是在现在，都显得非常重要。

早期的基督徒都是有力的康复治疗者。但是，大约公元2世纪前后，康复治疗变成了教堂的专属，牧师将手放在患者身上就成为治疗，后来又演变成在患者身上涂抹药膏和按摩油。到中世纪晚期，教堂内的康复治疗活动慢慢减少。除了教堂神职人员外，宣称自己有治疗能力的人都会被认为是异教徒，会被处以极刑作为惩罚。

现在，人们又开始热衷探讨精神、思想的力量、整体治疗和康复的关系。为何这种古老的治疗方式突然又变得如此受欢迎？我想，其中一部分原因是随着科技的发展和物质生活的丰富，很多人觉得生活中丢失了自身所固有的一些东西。而深受"压力"这个现代病折磨着的人们又充斥着医生的诊疗室。

无疑，我们中间很多人都向往一个更有意义的世界观；我们渴望能够控制自己的健康状况。这就是为什么康复治疗有其重要作用的原因。康复使我们看见希望，这是我们所能够为自己做的。医学诊断的决定性有时会让人们丧失信心，如果疾病本身不能治愈，至少我们态度或观点的转变能够带来解脱和心灵上的平和。

德国插图抄本：身体不舒服的和生病的人们聚在一起，等待接受名医的治疗 (1234—1276)。

如何成为康复治疗者？

康复治疗是流经全身的活动。尽管人们可以引导能量在人体内的运行，还是有必要提供康复中可以遵循的规律，而这些规律可以为人体提供能量使人体恢复健康。正如能力、自我约束和积极学习一样，要成为一名康复治疗者，最主要的是开诚布公、积极参与和有同情心，还需要实践。我所了解的最成功的治疗者都是脚踏实地地工作的人。

康复治疗需要有自知之明、自我促进、实力和凡事要做到最好的决心。许多人通过自己精神上的提升，寻求更好的康复治疗的方法或意志力。然而，表面的魔力并不能真正帮助别人，这就是康复治疗的全部内涵。

重病可以引起恐慌和恐惧。通常情况下，治疗者所需要扮演的重要角色是提供积极的态度应对疾病。长期生病让人付出巨大代价，而且往往会使人产生消极情绪。我们都希望事情顺利进展，秘诀就是要坚信自己付出的努力能够在每个人身上起到最好的效果。

那么，每个人都可以成为治疗者吗？

确实有些人在某些领域有天才的天赋。然而，我想我们中间的大部分都可以通过自己的奉献和耐心去获得明显的进步。至少，我们所能做的就是现在就开始努力。

按摩是康复治疗的一种形式，它能够帮助身体自行康复。在前面我们也讨论了康复治疗的不同方面，但是真正重要的事情我们还没有开始做。我们将扩大视野去探索用不同的方法，并结合身体的灵敏度去提高按摩技巧。

按摩是个物理过程，因此我们应该将这些技巧和高度接触式的康复治疗方法结合使用。舒体推拿中的柔和方面，对患病者或者需要照顾者有特别的帮助。在舒体推拿中，我们应该着重将人看成整体来治疗，应该关心普通问题而非试图治愈某种特定的病。舒体推拿能够帮助人体放松，重获平衡的感觉。这是可以开始康复治疗的最佳起点。

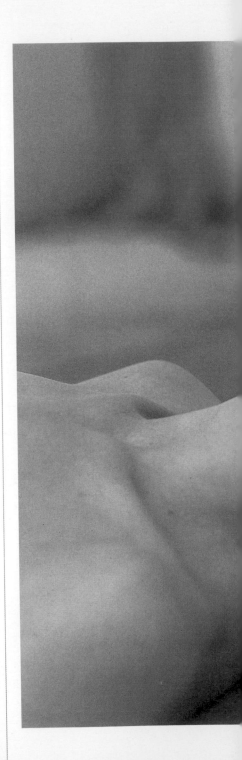

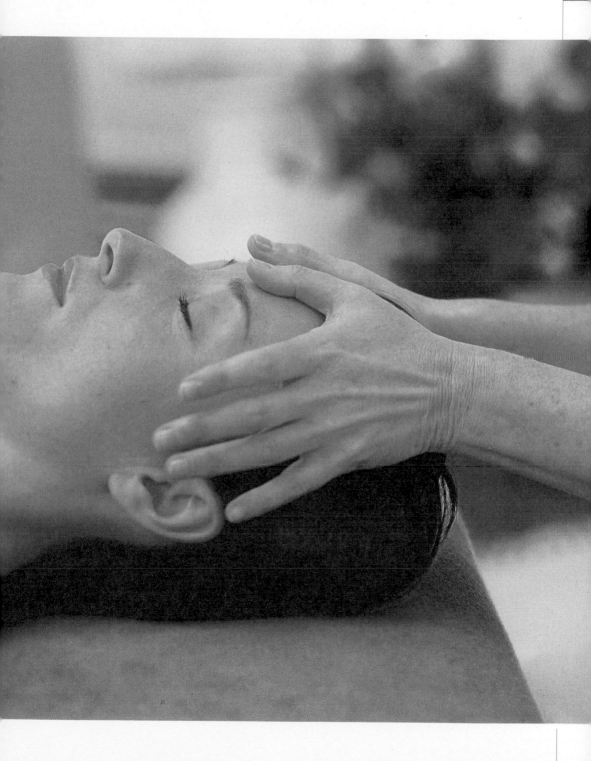

HEALING TECHNIQUE

康复技巧

　　康复治疗是一个在学习中获得知识、增长经验的过程。如果你是舒体推拿的新手，请勿担心自己的技巧——这些技巧只有通过练习才能获得提高。你需要有信心，让患者从你的按摩中获得他们希望的感觉，并且尽力做到最好。顺其自然常常带来最好的治疗效果，欲速则不达。练习这些技巧时，注意自己的感觉，不要特别在意技巧的实施。只有这样，你才可以对舒体推拿有整体的把握和理解，这对你和被按摩者本人的感觉同样重要。

搓手

RUBBING HANDS

实践其他技巧之前，先做一下这个简单的练习，感觉一下能量是什么样的。只有自己激发的感觉才能给你信心。该练习适用于每个人。

当双手一起运动和分开时，注意力要集中在自己手上。对自己经历的每个特殊感觉都做个笔记，例如温暖、寒冷或者麻刺感。不要思考，请仅仅专注于自己的感觉。

❶ 浑身放松地站立或者坐立，均匀自然地呼吸。像要取暖那样，开始精神饱满地揉搓自己的双手。搓至掌心发热，然后慢慢将双手拉开。你会发现双手会很自然地迅速打开。

❷ 当双手拉至与肩同宽时，再慢慢将双手靠拢，放松并保持两手掌完全相对。你能够在某一点感觉到双手之间有弹性，就像互相吸引的两块磁铁一样。该点离人体的距离因人而异，大约距离你12～20厘米。

❸ 试着把双手间的距离拉大，然后再拉近，注意不要失去双手间的感觉。双臂和双手都要保持放松，就像正握着一个精致的球。这种特殊的感觉就是双手之间的能量。

感觉

SENSING

现在你可能对能量是什么已经有了感觉，下一步是获得对另外一个人产生的感觉。首先要确信另外一个人赞成你所做的，因为这有助于你建立信心。你会发现，通过双手你可以获得很多信息。在这个过程中，要相信自己感受到的感觉，保持一般的清醒，不要陷入思考。记住，康复治疗不是一个分析过程，它不是凭借智力获得的，而是依赖放松获得的。

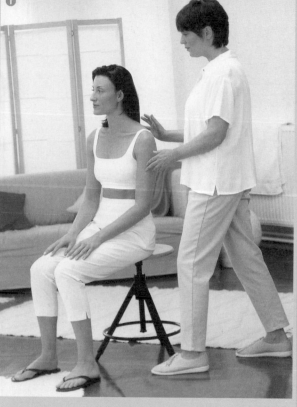

❶ 做此练习时可坐着亦可站立。确保自己放松舒适，双脚分开，与肩同宽，稳立地面。现在，轻轻地将一只手向对方的背部推进。要注意双手缓慢移动时自己的感觉。双手在距离对方大约5～7厘米时停止。

❷ 像在前面的练习中一样，缓慢地将双手移开，再向对方拉回，注意请勿接触对方背部。注意自己的手的感觉，以及任何别的来自对方的感觉。重复此动作多次。结束后，手缓慢移至对方的下背部，注意不要突然将手拿开。

姿势

POSTURE

作为按摩者或者实施治疗者，你按摩时的姿势非常重要。你的身体和双手是按摩的工具，如果摆放的姿势不正确，感到不放松或者不舒适，你获得的感觉就可能会削弱，也不能很自如地移动。进行按摩时，要确保自己挺直脊背，臀部和大腿稍微弯曲。

放松肩膀，旋转一下背部上方和双臂，以便有足够的空间实施各个动作。要确保自己身体处于完全平衡状态，双脚触地。你只有身体感觉舒适，精神才能够放松，被按摩者也才可以放松。

❶ 在地板上进行按摩是确实可行的，甚
至给人的感觉更亲密。当你屈膝或者坐在脚后跟上时，
注意仍然要挺直脊背。将自己定位好再开始按摩，然后全身前倾
开始抚摩。跪在垫子或地毯上可以使膝盖更舒服一些。

❷ 由于能够使你全身都投入到抚摩中，因此在地板上按摩比站在桌子旁边按摩更
自然。从臀部开始活动，避免转动肩膀。当你需要特别的支撑时，换个姿势使自己
身体的下半部而非上半部承受被按摩者的体重。

❸ 在桌台上按摩会使背部更舒适些。如果按摩量特别大的时候，也适合在桌台上进行，
但要确保桌台高度适中，能够使你有效地按摩。一脚在前，一脚在后，身体垂直稳当
地站立在地面，使腿不至于扭住。膝盖和臀部稍微弯曲。

❹ 坐在凳子上为被按摩者按摩面部或脚，能够获得无法估量的效果，能使你始终
保持舒适与稳定的姿势，并能避免弯腰过度。奇怪的是，按摩表面会有
持续的拉力将你"吸"近至按摩工作台。因此，要避免这样的情
况发生。否则，这不仅影响你的姿势，还会令被按摩
者感觉受干扰。

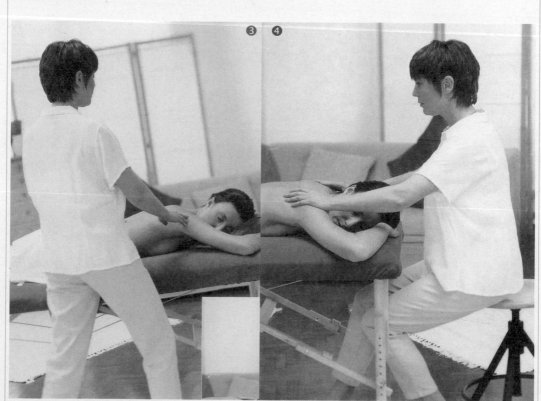

给予

GIVING

既然我们已经感受了自己和被按摩者的能量，接下来我们要感觉一下被按摩者身体某些特定部位的能量，然后再把能量通过自己的手传送到这些部位。这听起来似乎有些玄，但是做起来并不难。关键是，你要保持放松，不要试着施加任何压力。即使你刚开始还感觉不到能量的存在，也要想象能量正顺着你的手在运行，这样的话，最终你就会发现能量确实是在运行。康复治疗应该让人感觉舒服自然。如果你感觉到过于猛烈的效果，这很可能是因为你太心急，从而感觉到了自己或者是被按摩者的阻力。

❶ 请被按摩者俯卧，尽可能放松。你垂直站立在被按摩者身边，肩膀放松，两脚稳当站立于地面。缓慢地把双手放到被按摩者背部上方大约5～15厘米处。一只手放在被按摩者的肩膀上，另一只手放在其背部下方。

❷ 缓慢地将双手放到被按摩者的背部上。做的时候要注意感受到的任何感觉。把手放在被按摩者的背上，不要试着施加任何压力，要想象能量正从你的手上传出。不要想着把能量传到其身体某个特定的部位，仅仅想象它正从你的手中流出来。

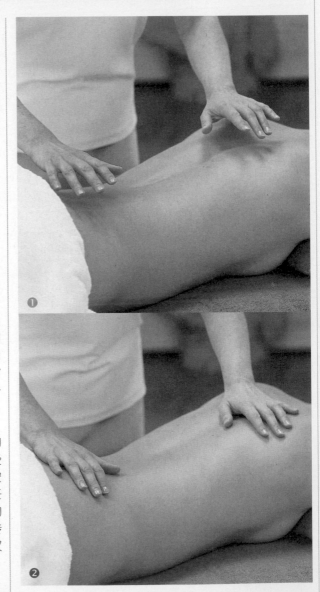

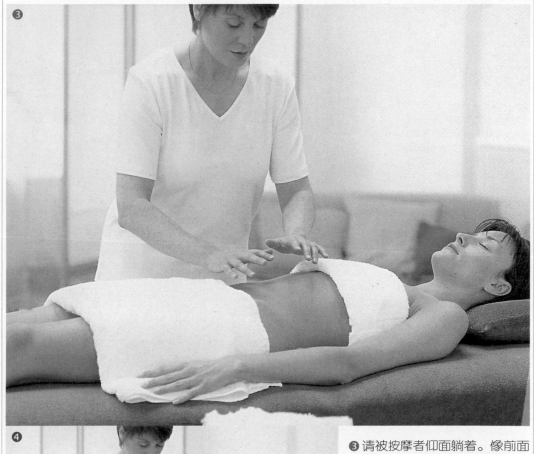

❸ 请被按摩者仰面躺着。像前面
所做的一样，垂直站立在旁
边，把手放在被按摩者腹部
上方5厘米处。双手停留一会
儿，放松思想，注意自己感
受到的任何感觉。记住，身
体前部容易受伤，所以要小
心翼翼地做每个步骤。

❹ 缓慢放低双手，一只手放在其
太阳丛下方，另一只手放在
其肚脐下方。再一次想象能
量从你的身体顺着手传出来，
看看被按摩者对此有何感觉。
时刻确信你在给予，而非获
取，不要太急于产生效果。

连接

CONNECTING

听起来很奇怪，但是很多人确实不觉得自己是全身"一体化"的人。他们可能了解身体的一些特定部位，但是感觉不到其他部位，特别是下半身和腿。本技巧利用非常轻的触摸，帮助将身体的各个部位与其他部位连接起来。

❶ 把双手放在想要连接的身体部位，不要把自己的体重加在被按摩者身上。一只手感觉是满的，而另一只手感觉是空的。想象被按摩者的能量从其身体的一个地方流向另一个地方。

❷ 一只手放在被按摩者的背部下方，另一只手放在其一只脚底，注意自己手中以及被按摩者这些身体部位的感觉。被按摩者的脚可能会觉得寒冷。现在想象能量从背部下方向脚底传播。当你感觉有变化时，或者15秒后，把手放在被按摩者的另一只脚上重复先前的动作。

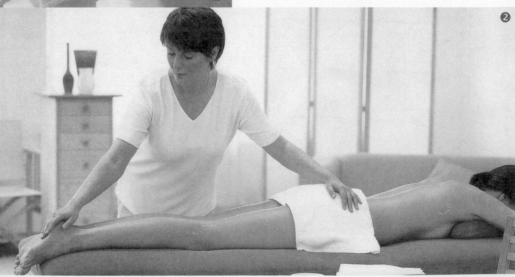

打圈

CIRCLING

有时候，你可能觉察到被按摩者会觉得某个部位紧张或虚弱，或者觉得你不能真正接触其身体上的某些受伤部位。在此情况下，请不要接触其身体，你可以在相关部位上方轻轻地转动手，帮助其减轻痛苦。把手放在距离其身体6厘米处，放松，不要幻想会有什么影响发生。在背部做此动作时要逆时针进行，而在身体前面做时，要顺时针进行，但应避开其脸部和胸部。你可能会感觉此动作应该持续多长时间，但是在通常情况下，请不要超过30秒钟。

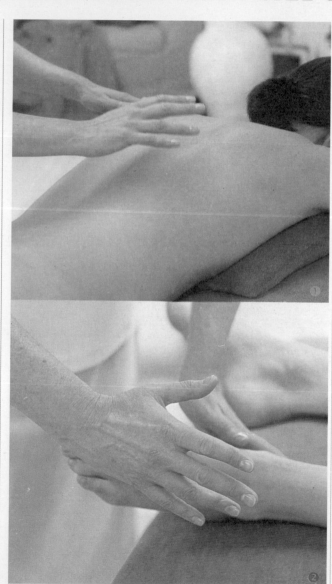

❶ 在被按摩者背部上方5～15厘米处，把手放在其两个肩胛骨之间。开始之前，感受一下自己手中的感觉和能感受到的被按摩者的感觉。在该部位上方轻轻转动自己的双手，然后再放到其背部。

❷ 把手放到距离被按摩者脚踝5厘米处，从其身体向外开始划小圆圈。将双手之距离进一步拉开，接下来再划圈，并留意自己的感觉。接着观察一下这对被按摩者有何影响，最后再把手放回被按摩者的脚上。

平衡

BALANCING

通常每结束一个特定的动作后，你都需要帮助被按摩者重获平衡。通常情况下，我们身体的能量总是趋向于集中在上半身、背部上方和胸部。因此，对整个身体来讲，它一般是不平衡地分布着的。把手放在被按摩者身体上，双手放松，促使感觉通过被按摩者的身体向下传播。平衡既可以在前胸进行，也可以在后背进行，但是切忌在头部、面部或者胸部进行。坐下来休息时，往自己手中输入能量，同时确信自己感觉放松、态度积极。注意手中任何的温暖或者麻刺感。

身体放松，直立于被按摩者身旁。现在把手放在被按摩者腹部，一只手放在太阳丛下方，另一只手放在肚脐下方。注意你的双臂、双手和思想都必须放松。请与被按摩者呼吸节奏保持一致，双手随着其呼吸抬起、放下。切忌按压或者尝试作任何的控制。

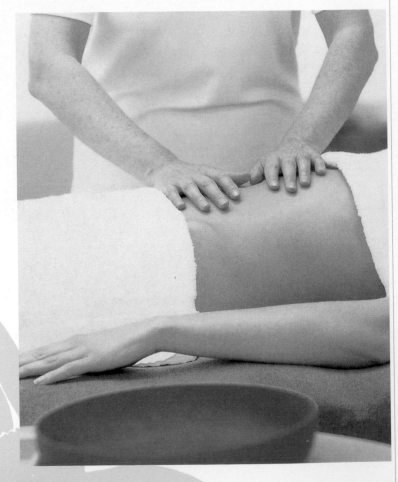

放松

RELEASING

在身体某个部位按摩后，这个技巧的作用特别明显。自然产生的紧张感消除时，或者某个部位感觉过于活跃时，你可以把精神紧张感从上半身或下半身通过胳膊和腿释放出来。做这些动作时，速度相对要快一些，轻一些，而且几乎不能接触被按摩者身体。可以在四肢上做，也可以仅仅在手上或者脚上做。手动的时候，想象能量顺着被按摩者的四肢流下来，并通过手指或者脚趾释放出来。这有助于帮助舒缓紧张感，并为被按摩者增加能量。

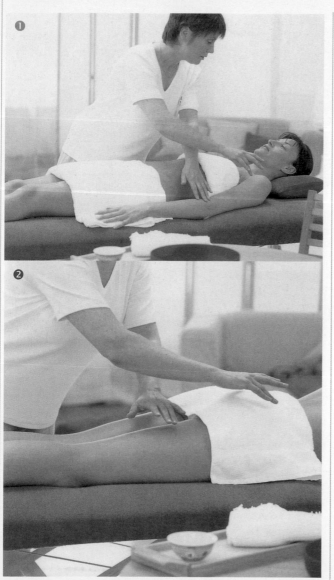

❶ 站在被按摩者下半身旁边。从肩膀开始，双手轻轻地顺着按摩者的胳膊向下做连续的平扫动作。想象一股精神的能量随着你的手运行，并通过指尖释放出去。重复此动作多次，然后换个位置到被按摩者另一侧身体，在其另一只胳膊上重复上述所做动作。

❷ 站在被按摩者下半身旁边。再次开始在其臀部上方做轻扫的动作，再随着腿做波纹旋转动作，想象能量顺着脚尖释放出来。交换位置，在被按摩者另一条腿上重复上述动作。结束后放松，然后把手轻轻放在被按摩者的脚上。

尽管舒体推拿的技巧与其他按摩的技巧相似，但你使用这些技巧的方式和为何要通过这样的方式使用这些技巧的原因，却不尽相同。就像在康复技巧部分所阐述的一样，按摩技巧同样需要与被按摩者一起实践。注意你们两个人体会到的感觉，这样你才能在以后的按摩中应用所积累的经验。你的身体，尤其是你的双手，是你的最好帮手，需要谨慎使用和细心呵护。按摩教会你如何了解被按摩者的身体构造和肌肉紧张的部位，使你更清楚哪种技巧更有益。按摩还能增加你的接受能力，有助于促进康复治疗。

按摩技巧

MASSAGE TECHNIQUES

呼吸

BREATHING

　　舒体推拿特殊的地方在于按摩时的感觉、对使用能量的专注性和通过双手使用的康复技巧。接触被按摩者身体前要做的第一步，也是很重要的一步是：把呼吸集中到知觉上，并将能量施加于双手上。你站立在被按摩者的头旁边，花几分钟集中注意力后向手中发出能量，双手可以感觉很放松。此时应该将注意力集中到按摩的目的上。如果你愿意，你甚至可以全身心投入到此次按摩过程中。虽然这个动作只做一次，但是却影响着整个按摩过程的质量。这应该是一个标志：从这里开始，你的感觉将不断增强，直到按摩结束。

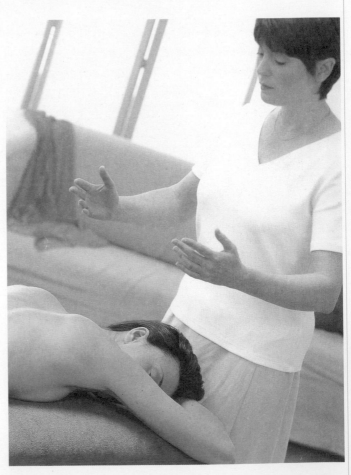

　　站在或者跪在被按摩者的头旁边——距按摩台约5厘米。放松，使全身保持平衡，双脚稳当站立于地面，想象能量从你的双腿流至双脚再传入地下。准备好之后，放松，吸入气至腹部；再次吸气，当你向外呼出气时，要想象能量沿着双臂流向双手。

接触

CONTACT

做完前面的动作后，很自然地，该轮到你和被按摩者的首次身体接触了。这标志着一个按摩过程的开始。双手一旦感觉灵活有力，便把手轻轻地稳稳地放在被按摩者的背上。此接触非常重要。你将可能已经从被按摩者的坐姿、谈话和感受获得许多按摩的线索。从这里开始，你和被按摩者便共同融入按摩的氛围中，并使你的手有机会获得信息。要注意自己的感觉。被按摩者也会对你的身体产生感觉，并能从你双手接触的质量中重新获得信心。谨记，身体的舒展通过按摩而获得，而按摩是个物理技能，因此你需要集中精力，全神贯注于与被按摩者的接触。

站在先前同一位置，把双手轻轻放在被按摩者的背部上方。双手静止，不要倚着被按摩者或者施加压力。确信你在输出能量，而且注意力要集中在被按摩者身上。注意手中的任何感觉和所能获得的任何线索，例如被按摩者的感觉，其皮肤的温度，任何紧张抑或放松的感觉，以及他们能否接受。

抚摸

STROKING

　　现在我们开始第一个真正的按摩技巧。抚摸是众多轻柔按压技巧中的一种，一般在将要结束身体某个部位一系列按摩动作后再做它。抚摸令人感觉愉悦。它把注意力吸引到身体的该部位，并能使皮肤放松、重获活力与刺激。缓慢做此动作时，可以使人心情平静，感觉欣慰。用指尖沿着被按摩者背部或者四肢回旋抚摩，会产生有节奏的涟漪感。

❶ **背部**　面对被按摩者背部站立。用指尖从其背部上方往下抚摩。如果先在小范围内抚摩，获得波浪般的感觉，则效果会更好。重复几次，想象你正把被按摩者的背部上方和下方连接起来。

❷ **腿部**　站立在被按摩者的足部旁边，在其双腿的背面上抚摩。从其大腿开始，向下轻抚至脚踝。其足部和脚趾尖也要轻抚。轻抚要始终沿着每条腿的中心线进行，并想象你正在放松被按摩者的大腿，把其大腿从臀部到脚尖连接起来。

❸ **足部**　轻抚被按摩者的双脚，使其放松，或使其获得能量。从其脚踝开始，轻抚至脚底和脚尖。想象被按摩者的能量正流向脚尖。有时用一只手握着一只脚，可使其感觉安心，然后用另一只手进行轻抚。

❹ **双手**　在其双臂和肩膀按摩后，从肩膀开始沿着胳膊向下轻抚至手腕，再到指尖停止。放松你的手腕，回旋轻抚，把被按摩者的注意力往下引导到指尖。

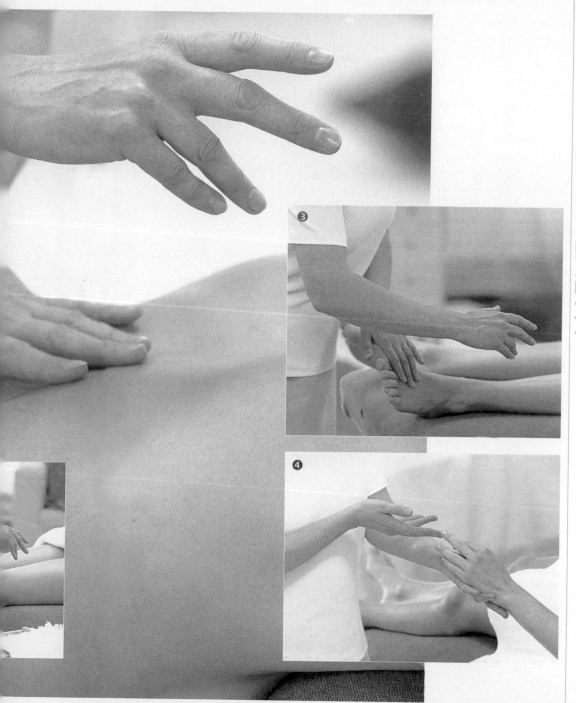

轻摇是又一种轻柔的压摩法。人们有时很想放松，但就是难以放松。压力使肌肉和关节感到僵硬。用轻摇按摩身体或者四肢，使人身心愉悦、感觉放松，能够有效地促使身体放松，回到更自然的活动状态。轻摇应该用双手轮流轻压，这样可以获得温和的轻飘的感觉。在按摩的部位上下移动双手，使整个肢体都能被按摩到。此法可以在按摩刚开始时进行，能够使被按摩者放松；也可以在按摩身体某部位后再使用此法。按摩时应保持双臂和双手放松，同时自己的身体也要随之运动。

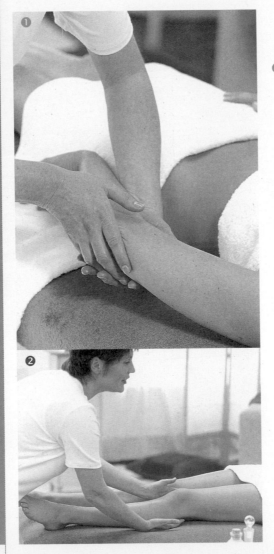

❶ **双臂** 面对被按摩者身体站立。把手放在上臂形成杯状，尽量从高处开始按摩。把被按摩者的胳膊放在自己手中前后搓揉摇动，一直向下摇到手腕。这样能使自己的手在下面抬起被按摩者的胳膊。在手腕上按摩时速度可以加快，然后再在手指上按摩。

❷ **双腿** 站在被按摩者脚边。一只手放在其大腿内侧，另一只手放在其大腿外侧，远离其腹股沟。用双手温和地搓揉摇动其腿，想象你正释放其关节周围的全部紧张感。朝脚踝按摩时，注意移动自己的位置，使被按摩者觉得你的动作平稳。按摩至其脚尖结束。

轻抚

EFFLEURAGE

这是最后一个轻压抚摩法。轻抚法是一种轻轻地、像风扇一样的摩法。使用按摩油进行按摩时，应该先于其他一系列动作使用此手法。此法能够促使按摩油均匀涂于皮肤上，放松肌肉表面，还能帮助你了解被按摩者的很多健康状况以及察觉任何强烈情绪。因此，要从思想上特别关注你的任何感觉。按摩时，想象你的抚摩正使被按摩者放松，并舒缓其肌肉中的紧张感。轻抚法要用手的平面，而且手指和手腕要放松，以使动作感觉平稳且有节奏感。

❶ **背部** 在手上涂抹一些按摩油，面对被按摩者下背部，站在其身边。轻轻地把手并排放在被按摩者的下背部，然后缓慢地朝颈部滑动。轻抚至肩膀时，双手向身体两侧分开，然后轻轻地沿着身体两侧向下移动。重复该动作多次。

❷ **胸部** 站在被按摩者头部旁边。在手中涂抹一些按摩油，把手指放在被按摩者胸部上方。远离乳房，沿着中间向下滑动。轻抚至胸腔下部时双手呈扇形打开，然后再将双手一起拉回胸部上方。重复该动作多次。

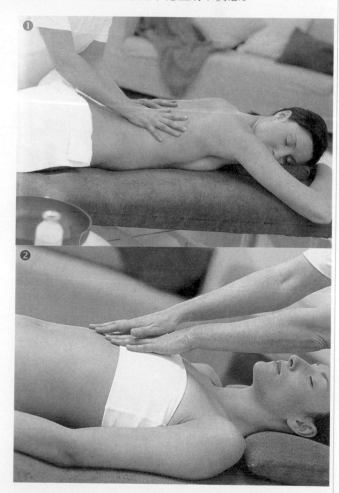

平抹

SWEEPING

平抹法是将手平放在被按摩者身体上，进行介乎轻抚和中度用力按摩的手法。挤压肌肉后，可以用此手法放松肌肉，使背部全面感到伸展松弛。如果脊椎骨两边的肌肉紧绷收缩，会引起脊背僵直难以活动。做一系列的快速按摩，以及在距离脊椎骨较远的地方施加压力，可以放松其肌肉，增加背部的灵活性。按摩时，想象你正把压力向脊椎骨两边驱散，并放松自己的背部和双手。

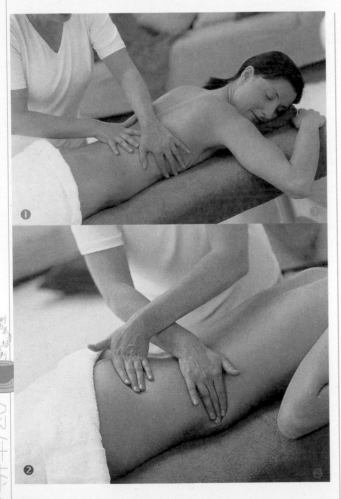

❶ **背部** 与被按摩者成对角线站立，一只手轻轻放在被按摩者下背部远离脊椎骨的地方，然后从外侧向内侧抹，另一只手用同样的方法在被按摩者的背部向上轻抹，一直抹到肩膀为止。重复整个过程。

❷ **臀部** 与被按摩者成直角站立。一只手放在被按摩者的下背部离自己较远的一侧，在其臀部上半部分周围和背部朝着自己方向抹。换另一只手做重复动作。想象你正帮助伸展其下背部。当手伸出时要施加压力，收回时要减轻压力。

时尚美疗坊系列

舒估推拿

揉捏

KNEADING

使用揉捏法需要施加中度压力，它通常是在肌肉放松后或者按摩油均匀涂抹于皮肤上之后才进行。肌肉紧张，就会限制能量在体内的流动。此法略似揉捏生面团。揉捏需要深度，以放松肌肉，减缓肌肉的整体紧张感，增强血液循环。捏时双手交替，用拇指和其他手指辗转揉捏、按压、挤压肌肉。捏法一般用在身体肌肉面积大的地方，这样双手才有足够的活动空间。

❶ **背部** 与被按摩者下背部成直角站立，确保自己可以舒服地斜倚着。先用一个大拇指压住其身体远离自己一侧的肌肉，然后用其他手指捏着向自己身边滚动。用另一只手重复揉捏，以便获得持续有节奏的活动效果。向上捏至肩膀处。

❷ **臀部上半部分** 与被按摩者下背部成直角站立，斜倚着被按摩者。仍然用拇指压住被按摩者外侧臀部上半部分的肌肉，然后用其他手指捏着向自己身边滚动。在其身体多肉区域重复此动作，确信所用的压力使被按摩者感觉舒服，并想象你正缓解其下背部和臀部的紧张感。

拇指推展

THUMB SPREADING

　　拇指推展力度适中，利用大拇指把压力向外施加于肌肉。此法一次只能推一小块面积，例如足底或者膝窝。推法可以促进减缓肌肉和关节紧张。把按摩部位捧在两只手中，既可以支撑被按摩者，又有利于拇指用力。在关节周围按摩时，切记将压力减至最小。

❶ **足部**　站在被按摩者脚边。将其脚轻轻抬起，捧在手中。把两个大拇指并排放在被按摩者足底，然后逐渐向两边滑动，推的时候注意用力。推完之后再挤压其脚。重复推几次。

❷ **膝盖**　面对被按摩者身体站立。用双手轻握住被按摩者膝盖，不要施加任何压力，将两个大拇指放于其膝盖背面，然后轻轻向外滑动。确保你轻轻用力且平滑移动，想象你正减缓其关节周围的紧张感，促使腿部放松。

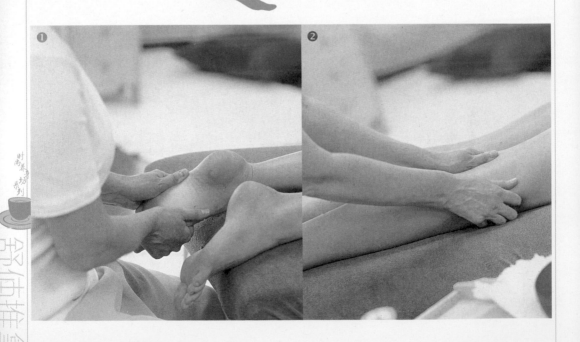

打圈时把手摊平，用适中力度在被按摩者身体上相对较大的区域内划圈，例如背部和腹部。打圈是一种令人放松的舒适的按摩方法。由于打圈可以使人镇静，减轻或者分散神经紧张和情绪紧张，因此在被按摩者情绪低落时，使用此法甚有益处。由于此法须远离被按摩者身体进行，故在背部使用此法时，应逆时针转动双手；而在前胸使用此法时，应顺时针转动双手。之所以这样做，是为了与其身体的能量保持一致。具体按摩时，应该保持与被按摩者身体约5厘米的距离。

❶ **骶骨** 与被按摩者下背部成直角站立。把一只手放在骶骨上（脊椎骨底部的多骨三角区），另一只手轻轻地放在它的上面。在骶骨上和下背部划大圈，放在上面那只手用力稍大。想象你正放松和舒缓被按摩者整个下背部，始终注意要使其骶骨感觉舒服。

❷ **腹部** 与被按摩者下背部成直角站立。一只手开始在其腹部划圈，另一只手也跟着开始划圈。双手交叉时，一只手应始终与被按摩者身体保持接触，另一只手抬起。切忌在此区域用力过大，需缓慢、轻柔、平滑移动双手。

打圈

CIRCLING

减轻压力 （一）

这是去除双手和双脚压力，促使其放松的一个特殊方法。此法用力适中，尽管它实质上不同于搓，但是看起来确实如同在肌腱之间拽拉。能量中心大多集中在双手和双脚上，但是，当肌肉紧张时，它们就难以正常活动。此法有助于放松手掌和足底。如果被按摩者的身体因手脚肌肉紧张而行动不便时，此法对手脚的放松很有帮助。想象你正促使其全身血液流动。

❶ **双手**　面对被按摩者站或坐在其身边，抓起被按摩者的手，把拇指放在其拇指和食指之间，尽量放高一些。现在，在指骨之间朝着食指拽拉肌腱，同时自己的食指在下面用力。在其手上其他指骨间重复该动作。

❷ **双脚**　坐或站在被按摩者脚边。一只手抬起其脚，另一只手的拇指放在其大脚趾和二脚趾之间脚面上，尽量放高一些。中指在下面用力，朝自己方向拽拉肌腱。要小心地滑动，而非硬扯。在其整只脚上用此法重复进行。

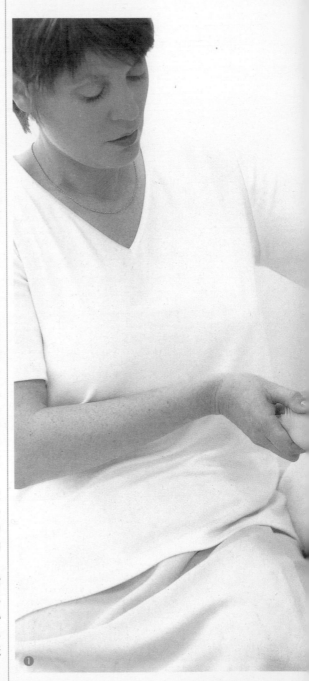

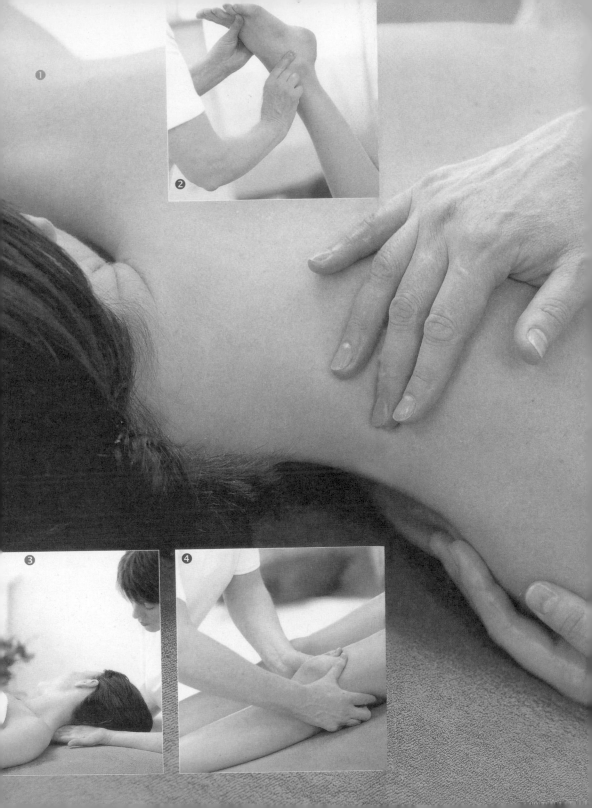

❺ **减轻压力（二）**

CLEARING 2

　　此法是一种用中等力度至较大力度的压力按摩法。此法用于关节周围的轻微紧张，以及脊椎骨两边的肌肉紧张。此法一般用中指和无名指，稳稳地施以适当压力。同样，此法的目的是减缓紧张感，刺激能量流动。关节受持续的肌肉萎缩而变得僵硬、不能灵活运动，此法对改善体内循环和能量在体内的分布有显著的治疗效果。时刻确保你双手平滑运动而非按压运动。如果被按摩者关节有任何不适，需要小心温和地按摩。

❶ **肩胛**　面对被按摩者身体站立，把手臂放在其背部。一只手在其肩膀下方托住其肩膀，另一只手放在其肩胛上方，把手缓慢地朝自己方向拉动。沿着肩胛的轮廓大范围按摩。重复几次。

❷ **脚踝**　站在被按摩者脚边，双手抬起并托住其踝关节。用手指沿着踝关节的外部按摩，向内稍稍施加压力。想象你正释放关节周围的紧张感。在踝关节内部重复几次。

❸ **颈部**　站在被按摩者头部旁边。让其头转向一边，用一只手扶住。另一只手伸到上背部下面，手指紧贴脊椎骨。然后朝自己方向将手拉出，并沿着脊椎骨向上拉至头盖骨下面。再把其头转向另一边，在其身体另一侧重复该动作。

❹ **膝盖**　站在被按摩者脚边。把拇指放在其膝盖上，双手放在膝盖下面作支撑。沿着膝盖骨两边向下拉动拇指，直到两拇指在下面接触。在内侧稍微施加压力。如果被按摩者的膝盖骨在任何时刻感觉不能活动，需鼓励其放松。

❺ **肋骨**　站在被按摩者头部旁边，拇指放在胸廓下面的肋骨之间。拇指沿着肋骨的轮廓向身体两边滑动。继续向下重复该按摩动作。

手掌滑动

PALM SLIDING

此法利用拇指根部和掌心，使用中等力度在皮肤上滑动。动作应平稳，把紧张感从身体中间释放出来。手掌滑动有些类似于拇指推展，但是它能覆盖面积较大的区域，而且能从手掌根部施加更大的压力。此法适用于被按摩者感觉特别紧张的身体部位。用此法放松背部有良好效果，用于按摩前额也令人感觉特别抚慰。想象你正释放按摩部位的压迫感，抚慰被按摩者的心灵。这个滑动的动作也可用于距离头部5厘米的地方。

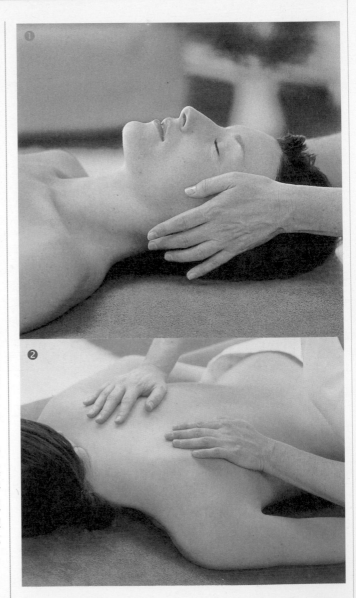

❶ **前额** 站在被按摩者头部旁边。两手手掌放在其前额上，拇指并排放在额头中央。双手向两边发际分别滑动，一边滑动拇指一边施加压力。每次轻柔重复此动作，双手和思想都要保持放松。

❷ **上背部** 面对被按摩者背部站立。双手放在其两块肩胛骨之间，从脊椎骨一边开始抚摩。双手向外滑至肩胛，一边滑动，一边用掌根用力。轻轻地向下重复该动作，以释放上背部的紧张感。

时尚养生坊系列

舒体推拿

引流

DRAINING

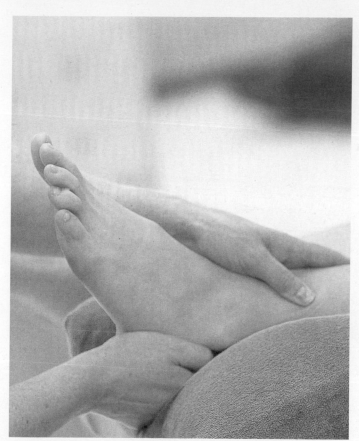

脚踝 面对被按摩者身体，扶起并支住被按摩者的脚踝，把拇指放在距离肿胀部位2厘米的地方。用拇指轻轻地向上抚摩，帮助减小肌肉的压力。逐渐按摩，并确保被按摩者感觉舒服。如果皮肤因按摩发红，应该把手移到距离疼痛部位稍远的地方。

此法用力适中，用于促进肌肉中废物的排泄。在放松和收缩的过程中，肌肉会释放废物，这些废物一般经由血液和淋巴排出体外。如果由于种种原因，此过程不能顺利进行，废物就会在体内堆积。此法一般利用拇指或者整只手，面对被按摩者身体，沿着胳膊或者腿部肌肉把废物排出。此法也可用于身体局部，以刺激该部位的废物排出，或者帮助减少肿胀。在局部肿胀的地方，需要在其周围按摩，切忌直接在肿胀部位直接按摩。

拇指和其他指头打圈

THUMB AND FINGER CIRCLING

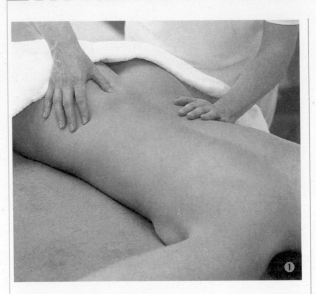

此法用于给身体局部施加纵深压力。方法是用拇指或者其他手指按住病灶部位，并打小圈。打圈时，压力持续向下传播。除了按压以外，打圈还可以用于感觉特别紧张的部位或者"结"。始终要注意所使的压力不应引起不适或者疼痛感。为使肌肉放松，应该先轻轻地施加压力，等感觉到被按摩者有反应时，再增加压力。切忌压迫肌肉。想象此放松感觉正慢慢向外、向周身扩散。在局部慢慢多打几个圈后继续活动，以避免阻力或者刺激。

❶ **骶骨** 面对被按摩者身体，站在其下背部旁边。把手伸到距自己身体较远一侧的骶骨边（脊椎骨下方的三角骨区），轻轻用拇指在病灶部位按压并打圈。在骶骨上重复几次，再向外捻到臀部。继续重复此动作，想象你正释放其下背部和臀部的压力。

❷ **颈部** 站在被按摩者头部旁边，双手放在其脖子下面，手指放在脊椎骨的两边。向内朝颈部重复打圈，然后向上至其头盖骨。如果觉得难以操作，可以用一只手撑起其头部，用另一只手在头的一侧打圈，然后换手，在头的另一侧重复进行。请注意始终保持轻轻的压力。

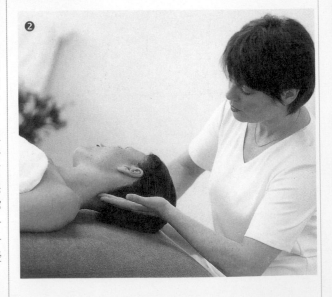

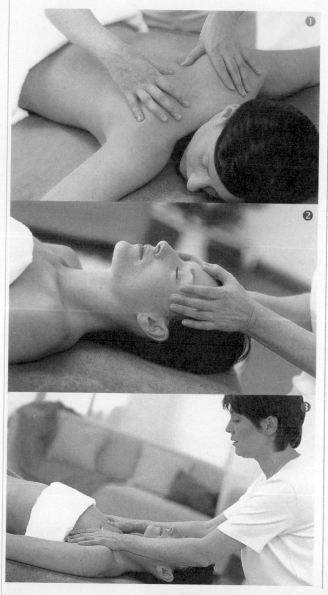

此法可以通过施加深层压力以缓解局部的肌肉紧张。用此法按压脊椎骨两边的肌肉，对背部较有功效。无论是精神上还是肉体上，被按摩者都可以感觉到压力在向相当深处渗透。用指腹平稳地交替按压、释放和抬起，想象你正使其体内向纵深处释放压力。如果感觉到有阻力，先暂停按摩，等肌肉放松后再继续进行。在关节周围按摩时，减轻所施压力；在头部和面部按摩时，需轻柔地进行。

❶ **背部**　放松双臂，把拇指放在背部最上面，距离脊椎骨两侧约2.5厘米左右。向下按压肌肉，然后再释放压力。重复该动作至下背部，每次向下只移动大约2.5厘米左右，或者大约在每个脊椎骨节处按压1次。

❷ **前额**　两拇指并排放在被按摩者额头眉毛上方。轻轻向下按压1次，重复此动作，且往上在其前额中间按压，然后把手朝自己身边移动，按压至发际或者头顶。按压越缓慢均匀，则按压效果越好。

❸ **胸部**　两拇指并排放在上胸部，分别放在两块胸骨上。在顶肋上缓慢均匀连贯地按压1次，然后移到第二对肋骨再按压。重复1次，避免按压乳腺。想象胸部的压力正在大幅度地释放。

拇指按压

THUMB PRESS

打开

OPENING

　　开始按摩上背部和肩膀前，可以用此法"热身"一下，使其放松和打开。大部分人肩膀都会有不同程度的紧张，许多人认为按摩前只要躺在按摩台上就可以放松，但实际上他们的身体特别是肩膀，却仍然处于紧张状态。按摩的某些功能就是使身体恢复自然的活动。通过推拉肌肉使其肩膀放松，你实际上是正在告诉被按摩者，他的身体就应该始终有此放松的感觉。在按摩上背部之前应该先进行此动作。

　　肩膀　让被按摩者俯卧，然后面对其头部，站在被按摩者肩膀旁边。把一只手塞入其肩膀下面，另一只手放在其肩胛上。轻轻地把手向自己身边拉，使被按摩者身体实际上也在同时移动。这样的结果是，其上背部很快就放松下来。最后轻轻地将自己的双手向前滑出。

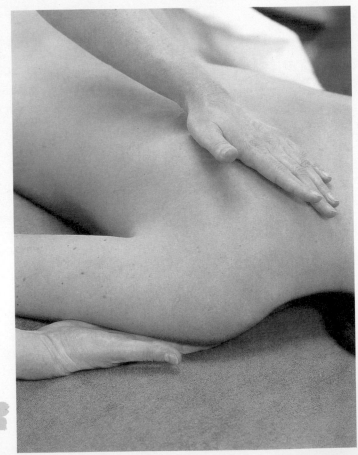

手压

HAND PRESS

此法可用中等力度的压力按摩肋骨正下方。双手需要叠起，平放在身体该部位上稳稳按压，切忌猛压。在被按摩者呼气时使用此法，会让其感觉非常舒服。记住，每次做此动作前，要先放松其腹部。如果被按摩者腹部有紧张感或者刚刚进食不久，最好避免做此动作。

腹部 面对被按摩者，站在其身体左侧。把一只手放在另一只手上面，然后放在肋骨正下方。均衡地向下按压，重复2次。将双手朝自己方向拉回，然后在其身体另外一侧，重复此动作，并向外移动。

对角抹

此法运用中等力度，用手在被按摩者皮肤上斜方向拖抹，从而使其皮肤伸展。此法适于伸展下背部，亦可使用较轻力度，刺激腹部，使腹部放松。在腹部按摩时，注意把握好时间节奏，即当被按摩者呼气时移动手。此法可以促使紧张的肌肉放松，还可以让被按摩者感觉到身体在舒展而非收紧。双手应沿着被按摩者身体两侧向外滑动，而不应向内按压身体。切记，须在该部位做过一些让它放松下来的按摩后方可使用此手法。

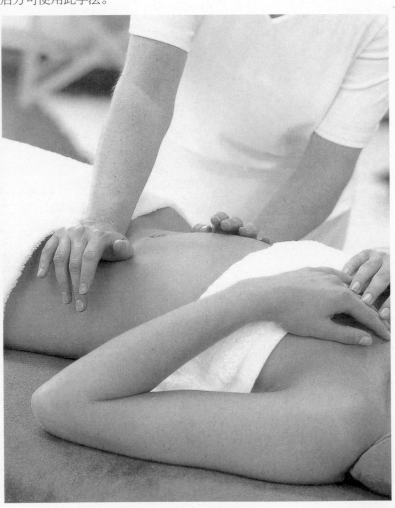

腹部　面对被按摩者身体站立。双手紧贴放在其腹部，在被按摩者呼气时，展开手掌轻轻按压。在其肋骨外侧及臀部斜方向拖抹双手，然后在另一对角线方向重复进行该动作。为使该部位放松，应该向外伸展而非向内猛推。

弯曲

FLEXING

此法使关节更加灵活，同时还可以拉伸腿背上的腿筋。此法应循序渐进地进行。弯曲足部时，双腿应该平放在按摩台上，以便使膝盖能够缓慢适应压力。腿背部如出现刺痛，那就表明有坐骨神经痛或者下背部有问题，如果遇到此情况，应该立即停止按摩。弯曲法还适用于手腕关节，可以弯曲手臂，轻轻抬起前臂。

脚 面对被按摩者双脚站立。将一只手或者双手放在其足底，朝着身体方向小心按压其脚。轻轻按压，确保不会引起任何不适，然后重复，并慢慢加大活动的角度。想象你正释放其压力，增强其灵活性。

在头皮上旋转

ROTATING ON THE SPOT

此法适用于身体任何部位，但是旋转头皮的效果特别显著。手指在头皮上轻轻旋转时，双手应保持在一个固定位置，并轻轻有节奏地按压，从而获得释放压力使头皮放松的效果。完成一个部位的按摩后，把手抬起移动到另一个部位重复同样的动作。此法与打圈不同，它是轻轻地在皮肤上旋转，而打圈则需要按压肌肉。用此法按摩头皮时，想象你正在释放被按摩者的精神压力。一只手按摩时，应该用另一只手轻轻扶住被按摩者的头。

头皮 站在被按摩者头部旁边。轻轻将其头转向一边，把手固定好，手指轻轻地放在其头皮上。手放松，在其头皮上划小圈使手指在其头皮上转动。把手抬起来，继续转动，一直到按摩完头的一侧之后，换手，用另一只手按摩头的另一侧。

拉手指

DRAWING THE FINGERS

此法使用力度介乎轻度到中度之间，适用于面部的细致按摩。用拇指或者其他手指指腹在骨头下面向上拉。此法可以放松额部的肌肉、双颊的肌肉和下颌部的肌肉。如果面部紧绷，看起来就会面色凝重，面容憔悴，神情呆滞。从面部中间向外、向上拉动手指，切忌拉扯娇嫩的皮肤。

下颌　把双手指尖并排放在被按摩者的下颌上，沿着颌骨朝耳边用指腹轻轻按压。在骨头上面和下面按压。想象压力正从面部释放出来。缓慢重复，把手从面部向上拉至耳边。

此法适用于身体任何需要放松的部位，或者被按摩者情绪上或身体上感到疼痛的部位。双手捧住该部位，可使其感觉舒适，并使身体安宁下来。手的温暖可以减轻疼痛。即使你的身体保持静止不动，你也要保持思想放松，想象你的能量正在通过你的双手静静地流动。当你感觉到有变化时，把双手轻轻移开。

头部 用手捧住被按摩者头部的两边，不要施加任何压力。把手放在其头部，放松自己的双手和双臂，感觉被按摩者身体在放松，把手移开的同时呼气。

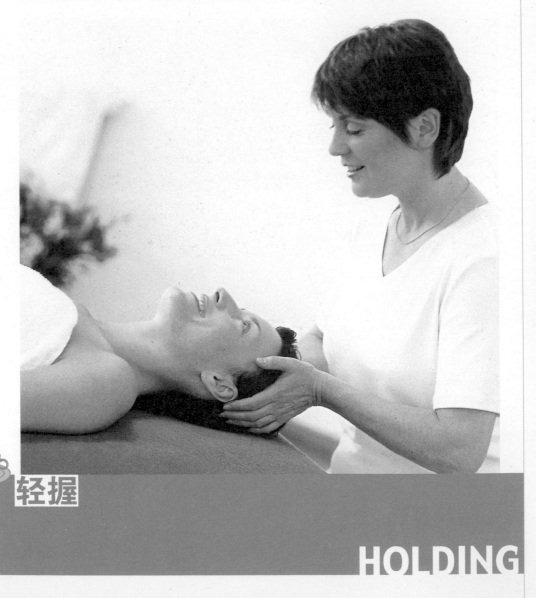

轻握

HOLDING

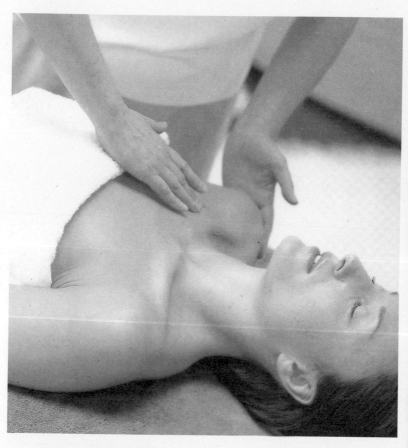

　　此法用于按摩背部和胸部，力度从轻到重。方法是从背部或者胸部中间向外做扇形推动。此法动作轻盈快捷，双手交替呈扇形推动肌肉。它不仅可以起到物理按摩作用，而且还可以促使身体通过暗示放松下来。使用此法按摩胸部需用指尖，按摩背部需用整只手。

　　胸部　先把两个手指放在胸部顶部，远离胸骨的地方。从胸部中间向身体外侧做扇形推动，然后再用另一只手朝自己方向重复此动作。轻轻地重复数次，想象你正在使被按摩者的上胸部舒展开来。

FANNING

掌根按压

HEEL PRESS

此法利用掌根施以中度到重度压力，用于按摩臀部、髋部和上胸部。稍稍向上给被按摩者身体按压，可以使重重的压力深入肌肉内部。一直按压到感觉有变化为止，但应确保不会引起不适。想象你正帮助被按摩者身体深深放松。

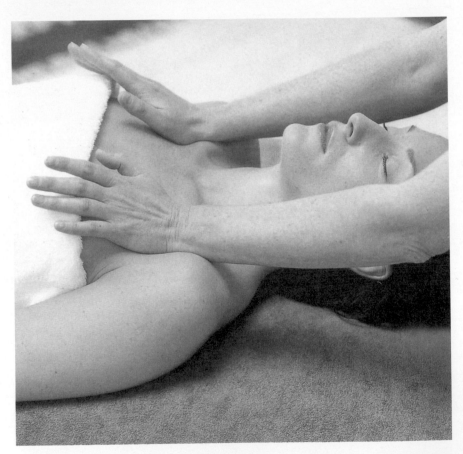

胸部 把双手掌根放在被按摩者胸部顶部第一个肋骨下面。体会任何坚硬的感觉，稍稍向自己身体外侧，向下往胸部内部施加压力。双手向外移动一些，重复按压，直到肌肉放松。均匀地释放压力。

全拇指按压

PRESSING THE LENGTH OF THE THUMBS

此法力度适中，是拇指按压法的一个变更，它以整个拇指按压，尤其适用于按摩肋骨之间的肌肉。借助整个拇指而非仅仅指腹来减缓压力，可以使压力扩散到周围一个较大的区域。用此法按摩胸部顶端，感觉舒适，而且可以减小你使劲按压的倾向。

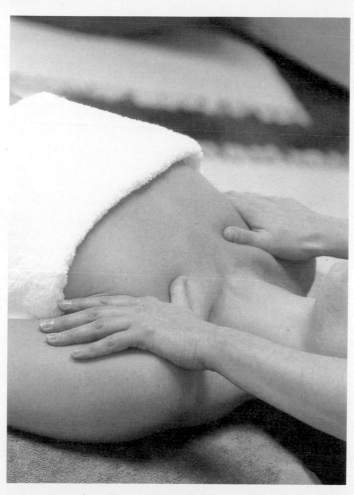

胸部 把两个拇指平放在胸骨两侧处的第一个肋骨下面。两拇指同时向下按压，然后在整个胸部上向外重复按压。再把拇指继续往卜移动，在肋骨之间向身体外侧按压。

抬拉

LIFT PULL

　　此法用于抬拉双臂，有助于伸展肩膀和上背部。首先把被按摩者的一条胳膊拖离其身体，然后向上向外拖拉。这可以帮助放松颈部、肩膀和上背部。让别人移动自己的四肢，一般来讲我们都会感觉不太自然，对它反应则常常是想把四肢拉回。因此，应预先告诉被按摩者你将要做什么，以帮助他们最大限度地放松。等到被按摩者放松后再开始进行。要确保做此动作时，你自己的背部完全舒展开，这样才可以使自己更舒服，也可以使按摩达到更好的效果。如果被按摩者身体比较僵硬，两人应先同时放松，再重新尝试。

胳膊 垂直站立于被按摩者身边。一只手抬起其一条胳膊，并把其胳膊弯到自己的胳膊上。抓住其手腕，平稳地向上抬起被按摩者的胳膊，同时朝自己方向轻轻地拖拉。充分完成该动作后，把其胳膊放下来，再重复，并增大拉伸的幅度。

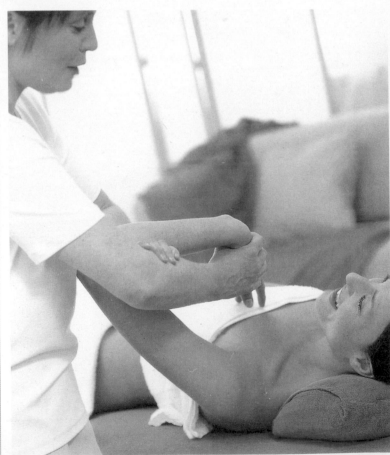

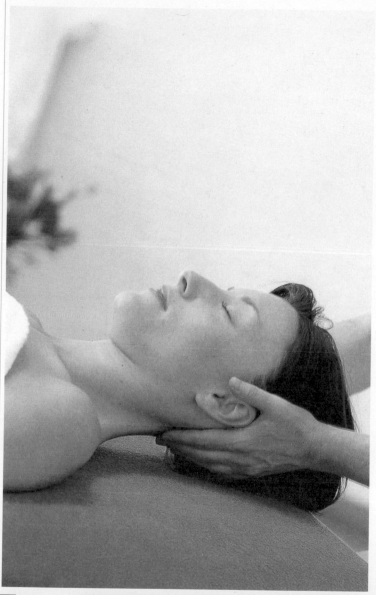

此法用于直接在腿部或者颈部拉伸。按摩对放松紧缩的肌肉效果显著，但是也出现了使关节紧缩的反作用。拉伸有助于减缓紧缩，增加背部和四肢的灵活性。做完肌肉按摩后，做几个简单的拉伸动作有助于增强循环和运动，还可以放松关节周围的肌肉。切记，要徐徐拉伸，如感不适，应该立即停止。全身用力，并确保你安全地托住被按摩者，朝自己身体内侧而非向上平稳地拖拉。想象你正在释放被按摩者全身的能量。

颈部　站或坐在被按摩者头旁边，让其放松。双手放在其头部下方捧住其头，徐徐地朝自己方向把手拉回，双手滑向头盖骨底部。要确保自己身体完全放松，而且不要从其肩膀往外拉。放松，重复拉动。

拉伸

PULL

HEALING
MASSAGE

舒体推拿

此套全身按摩法包含了我们在前一部分谈到的所有按摩技巧，而且把按摩推拿和康复技巧结合了起来。而一旦你将按摩与康复技巧有机地结合起来，则你的按摩的效果将明显不同于一般的按摩。康复技巧将按摩提升到了一个新的层次，它与被按摩者的能量直接对话。听听被按摩者的感觉，有助于让他们保持放松，进而做平衡的按摩。由于康复按摩是动态性的，这也就决定了不可能有完全一样的两个按摩过程和方法。但随着实践和经验的积累，你的敏感度和被按摩者的需要会帮你形成合适的按摩方法。

开始进行康复治疗按摩之前，确保有足够的毛巾、枕头、按摩油，并保持室内温暖。确信被按摩者没有按摩禁忌征候，留意身体所有需要引起特别注意的部位。在被按摩者安定下来时，把自己的双手洗干净。

❶ 准备好后，站在被按摩者头部旁边，确保自己放松、舒服。先吸气，呼气时感觉能量流向双手。这时双手可能会有刺痛感。轻轻地把双手放在被按摩者的上背部，停留一会儿，留意有什么样的感觉。

❷ 把手移动到下背部，往手上涂抹少许按摩油，开始温和地向上轻抚推拿，至肩膀时再回到下背部。向上推时，用力稍微大些。

❸ 被按摩者开始放松后，双手可以移动到上背部和肩膀，开始该部位的按摩。按摩应该从背部上方开始（大部分人的紧张感都集中在这里），然后向脚边方向开始按摩，这样可以使被按摩者感觉到中心。先在一边肩膀按摩，并让被按摩者的头转向一侧。如果想让其上背部舒展开，把一只手放在其肩膀下面，另一只手则放在肩膀上面，轻轻地朝自己身体方向拉动，同时鼓励被按摩者放松。

❹ 按图中划线部分所示，在肩胛线上耐心地轻轻揉捏，直至肌肉变得柔软放松。

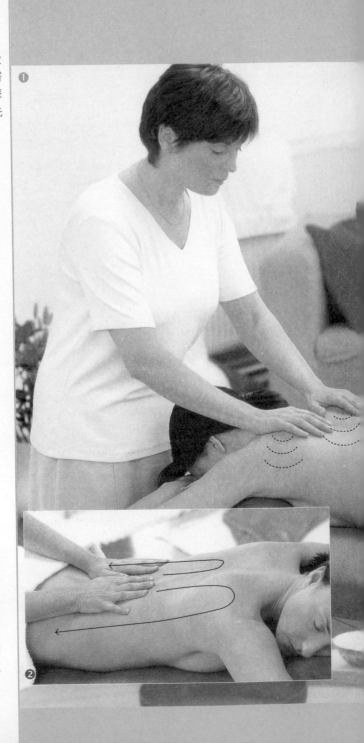

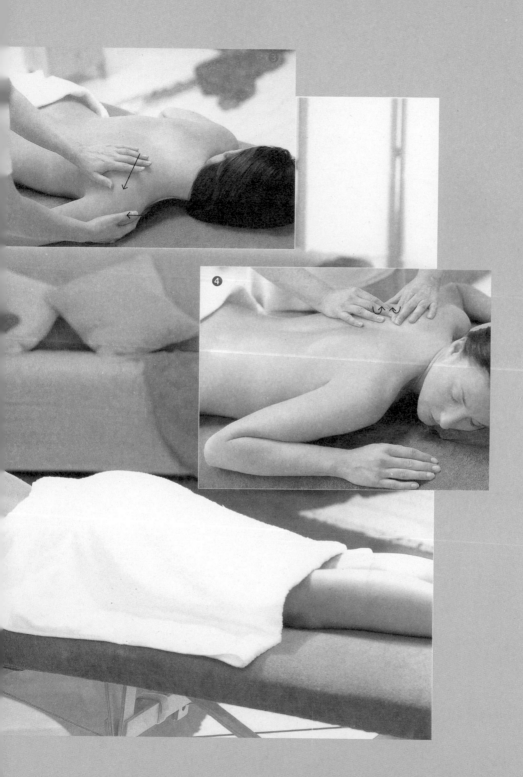

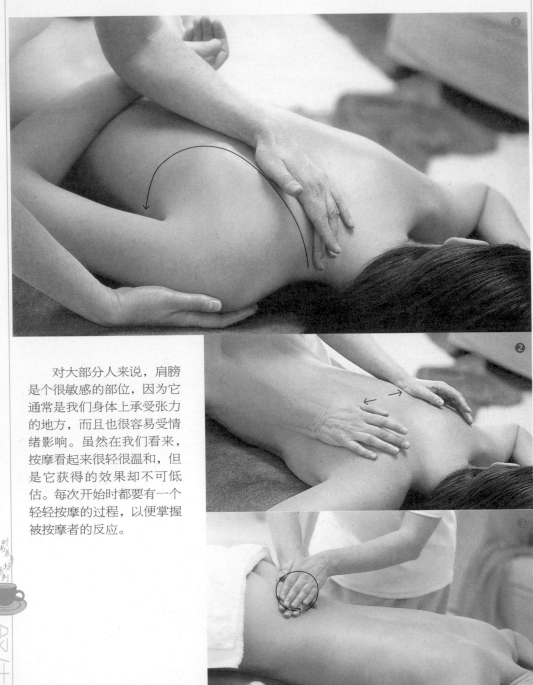

对大部分人来说，肩膀是个很敏感的部位，因为它通常是我们身体上承受张力的地方，而且也很容易受情绪影响。虽然在我们看来，按摩看起来很轻很温和，但是它获得的效果却不可低估。每次开始时都要有一个轻轻按摩的过程，以便掌握被按摩者的反应。

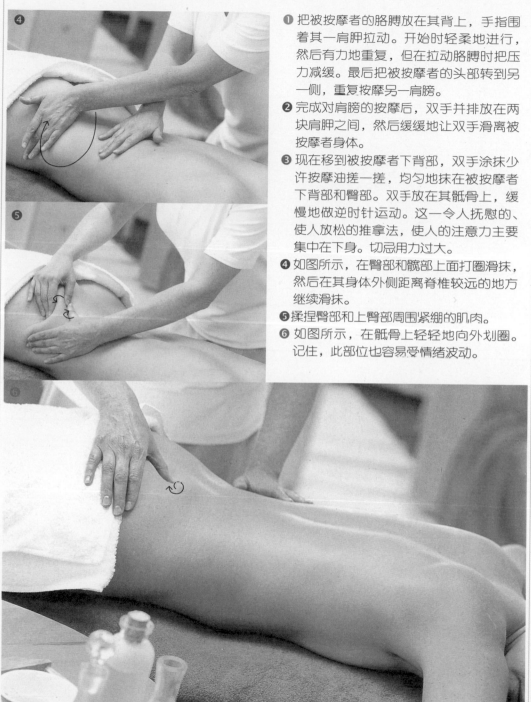

❶ 把被按摩者的胳膊放在其背上，手指围着其一肩胛拉动。开始时轻柔地进行，然后有力地重复，但在拉动胳膊时把压力减缓。最后把被按摩者的头部转到另一侧，重复按摩另一肩膀。

❷ 完成对肩膀的按摩后，双手并排放在两块肩胛之间，然后缓缓地让双手滑离被按摩者身体。

❸ 现在移到被按摩者下背部，双手涂抹少许按摩油搓一搓，均匀地抹在被按摩者下背部和臀部。双手放在其骶骨上，缓慢地做逆时针运动。这一令人抚慰的、使人放松的推拿法，使人的注意力主要集中在下身。切忌用力过大。

❹ 如图所示，在臀部和髋部上面打圈滑抹，然后在其身体外侧距离脊椎较远的地方继续滑抹。

❺ 揉捏臀部和上臀部周围紧绷的肌肉。

❻ 如图所示，在骶骨上轻轻地向外划圈。记住，此部位也容易受情绪波动。

按摩完上背部和下背部后，下一步的按摩就应该使人感觉按摩完整地完成了。随着肌肉的放松，人体的循环系统及感觉功能正常运作，全身的能量也开始流动。按摩之前，你可能觉得整个肩膀是与身体隔离的或者僵硬的，你可能也觉得整个下背部是与身体不连接的或者疼痛的；而按摩之后，你便会觉得它们已经是整个身体的一部分了，而实际上它们就应该如此。为被按摩者按摩时需时刻记住这些，同时把放松的感觉向下拉遍全身。

❶ 在距离被按摩者脊椎骨稍远的地方重复滑抹，再从下背部向上滑抹至肩膀。在抹动肌肉的同时，施加压力，并保持有节奏的运动。重复数次。

❷ 将脊椎骨旁边的肌肉提起，轻轻地揉捏，然后再从下背部开始，向上捏至颈部。之后从腰部下面往下，再用拇指向内按压该处肌肉。移动到被按摩者身体另一侧，再按照同样的顺序揉捏另一侧的肌肉。

❸ 要使按摩显得完整，继续向上抹至肩膀，此法可以使人活力激增。

❹ 从上背部向下至下背部，向被按摩者体内按压脊椎骨两边的肌肉。用两拇指按压每节脊椎骨一次（每次按压部位之间的距离应该保持在3厘米左右）。

❺ 最后柔和地抚摸整个脊椎骨。

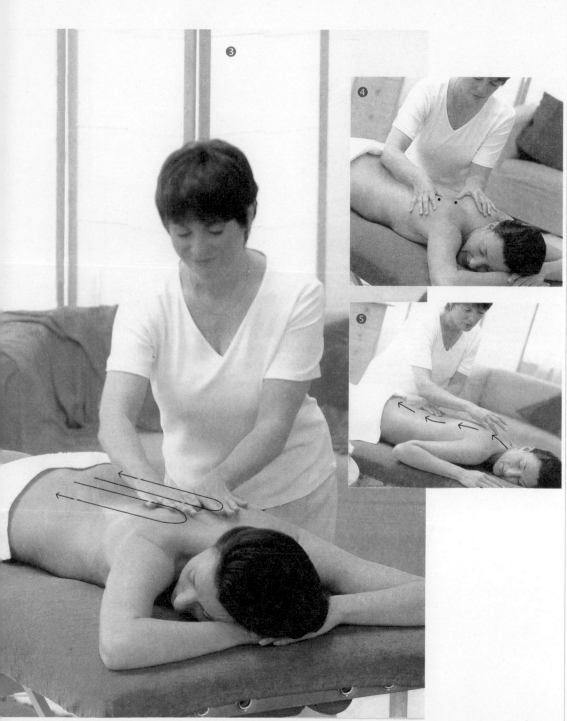

如果被按摩者感觉可以接受，并且背部已经放松，你就可以尝试做一些康复治疗技巧了。其实，按摩的各个阶段之间并无真正的界限，就像我们已经看到的那样，按摩本身就是一种康复治疗方法。但是，完成一些动作，减轻被按摩者身体上的紧张感，并建立起两人之间的和谐接触后，你会发现被按摩者更容易接受敏感的能量运动，这样使你操作起来也更加容易。

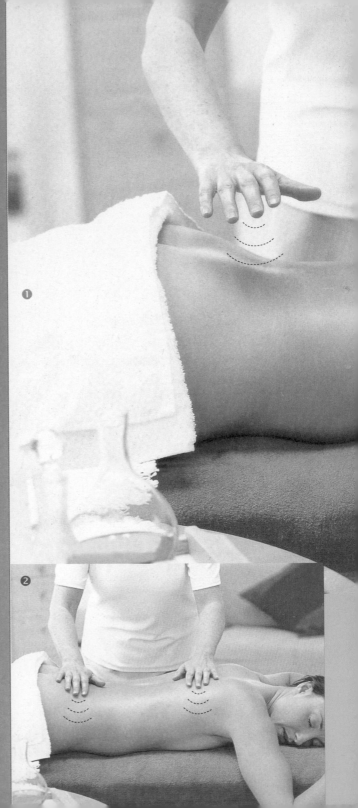

❶ 面对被按摩者，稳稳站立在其身边。把双手放在被按摩者身体上空：一只手放在其上背部上方，而另一只手放在其下背部上方。双手距离被按摩者身体大约5～15厘米，注意任何特别的感觉。

❷ 缓缓地稳稳地放下双手，直至轻轻地落到被按摩者的脊椎骨上。一只手刚好落在其肩胛下面，而另一只手则落在其骶骨上方。感觉能量流过你的双手。停留一会儿后，你可以体验到其下背部的诸如温暖、寒冷、木讷、刺痛或者兴奋等感觉。

❸ 要使被按摩者集中精力，想象能量正在从你放在其上背部的那只手缓缓流向其下背部，然后在骶骨上划个圈。

❹ 开始腿部按摩之前，把一只手放在被按摩者的骶骨上，另一只则放在其一只脚上，想象能量顺着其一条腿流下来。然后再把手放在另一条腿上，重复前述动作。

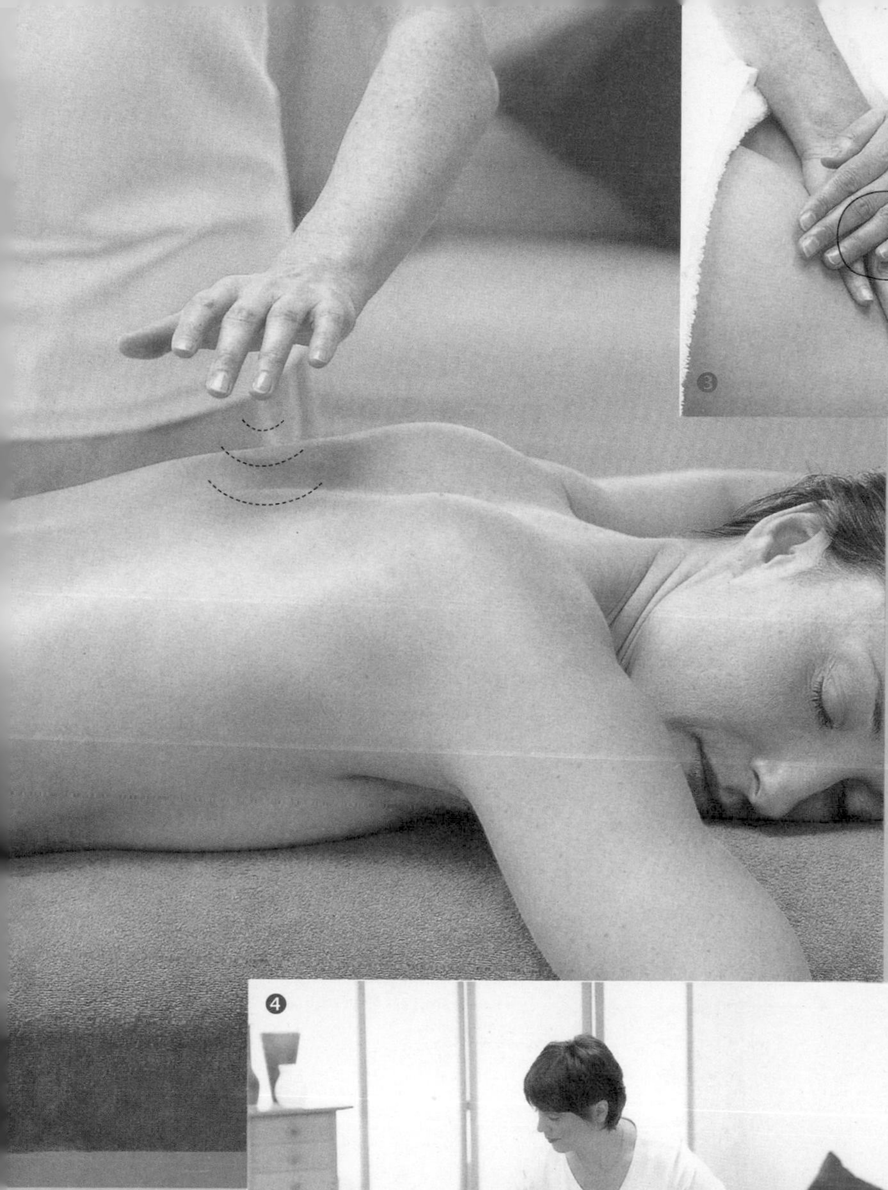

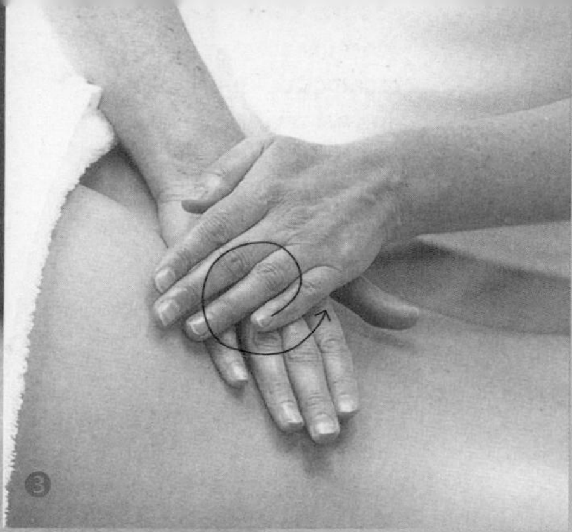
3

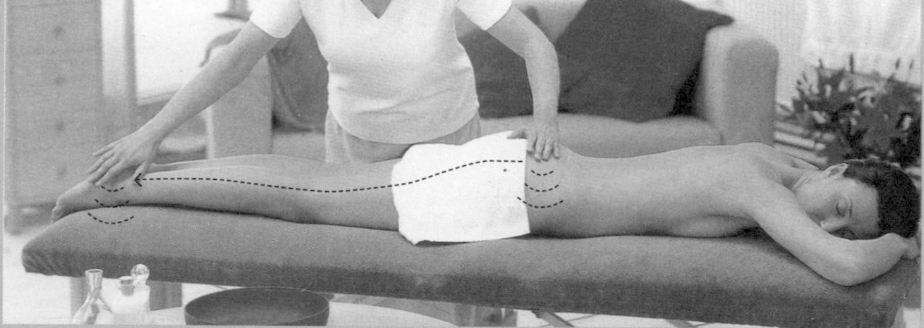
4

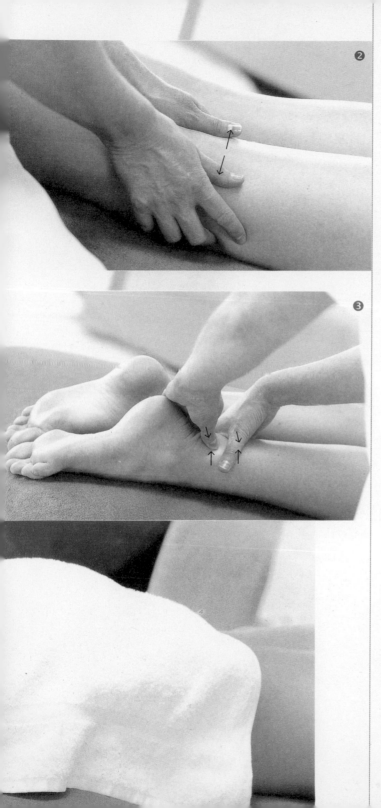

开始按摩腿部之前，留意任何使你感觉特别的地方。尤其要留意皮肤的颜色和形状，并注意被按摩者的脚是温暖的还是冰冷的。你可能需要询问一下被按摩者是否经常运动，以确保被按摩者膝盖或者脚踝没有伤情。由于其中大部分的按摩都需要在关节周围进行，因此无需使用大量按摩油。但是，应该在手上涂抹少许按摩油，以起到活络的作用；在双脚上也涂抹少量按摩油。

❶ 要使被按摩者足部的肌肉和关节放松，释放足部的压力，可以用双手扶住其腿部摇动，从大腿摇至脚踝。这可以激活身体，增强活力。双手沿着被按摩者的身体向下完成此动作。

❷ 把两拇指放在膝盖背部，按如图所示滑抹。被按摩者会感觉非常抚慰。此动作可以重复多次。

❸ 最后，用拇指和其他手指轻弹脚踝背部的肌腱，使其放松。双手交替进行，动作要又轻又快。

按摩足部不仅有助于放松的过程，还可以激活身体。随着肌肉的放松和活力的恢复，被按摩者会感觉到精力集中，心里踏实。奇怪的是，尽管我们思维可能很敏捷，但对我们的脚底发生的事情，大部分人却全然不知。生活匆忙、压力增大、下背部僵直、膝盖和脚踝不灵活，这些都会使我们的双脚连舒舒服服地站立于地面这样简单的动作都做不到。

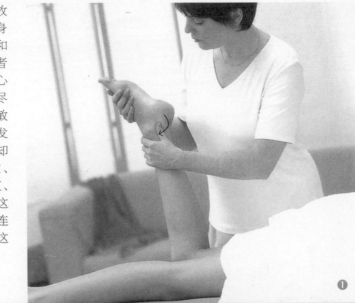

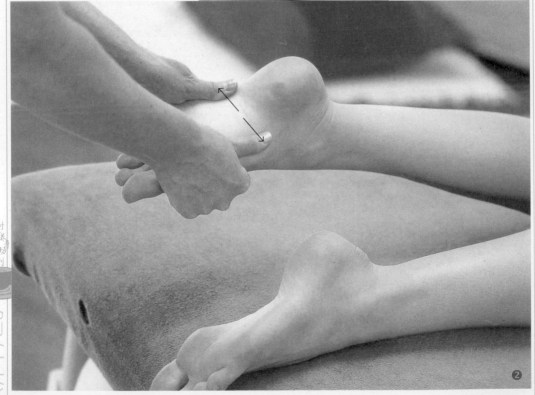

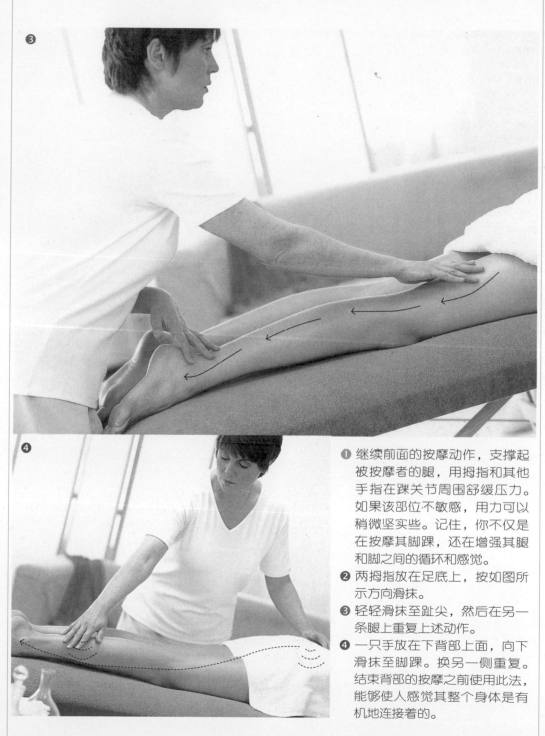

❸

❹

① 继续前面的按摩动作，支撑起
  被按摩者的腿，用拇指和其他
  手指在踝关节周围舒缓压力。
  如果该部位不敏感，用力可以
  稍微坚实些。记住，你不仅是
  在按摩其脚踝，还在增强其腿
  和脚之间的循环和感觉。
② 两拇指放在足底上，按如图所
  示方向滑抹。
③ 轻轻滑抹至趾尖，然后在另一
  条腿上重复上述动作。
④ 一只手放在下背部上面，向下
  滑抹至脚踝。换另一侧重复。
  结束背部的按摩之前使用此法，
  能够使人感觉其整个身体是有
  机地连接着的。

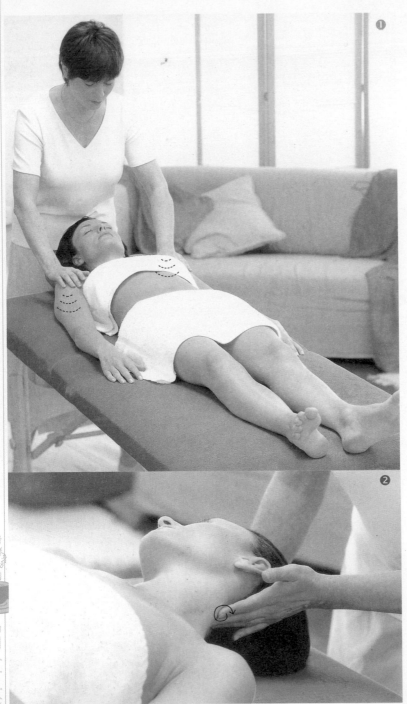

先按摩背部的原因之一是，较之胸部来讲，背部不太容易受伤。背部按摩非常普遍，而别人为自己按摩胸部时，我们常常从情绪上感觉到上身毫无遮掩。男女都如此，因此需要引起注意。在做胸部按摩时，动作要轻柔。从头部开始朝着脚的方向按摩，使被按摩者感觉浑身放松、精力集中、心里踏实。按摩颈部是你所做的最有价值的按摩之一，但是通常也是最困难的。颈部僵直的情况非常常见，而且通常伴有头痛和上背部紧张等症状。对某些人来说，把自己的整个头部交给另外一个人按摩几乎是不可能的。因此，要等到被按摩者完全放松，准备好接受时再开始按摩。

❶ 开始前，自己先集中精神。确保自己的肩膀不紧张，双手柔软放松。如果有必要，用几分钟时间伸展一下自己的双臂。深深吸一口气，再呼出来，把手放在被按摩者的双肩上。体会能量流过双手的感觉。

❷ 第一个动作需要沿着脊椎骨两边的肌肉划小圈，从颈部和双肩交界的地方划到头盖骨。被按摩者可以面部向上平躺着，也可以把头侧向一边。

❸ 如图所示进行拉伸放松。

❹ 把头转向一边，在头盖骨正下方朝着耳边向外按压。

❺ 用手指在被按摩者一边头皮上旋转，然后再在其另一边头皮上旋转。

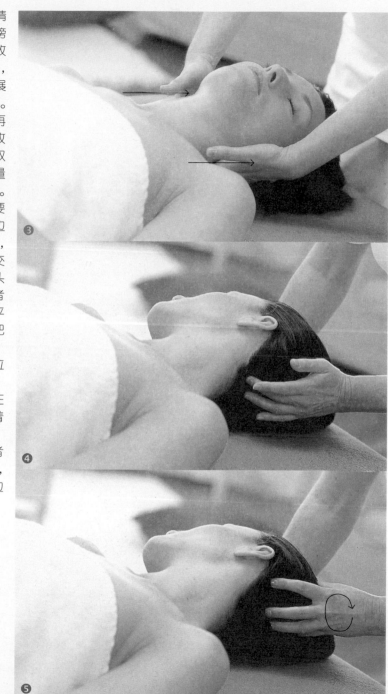

面部按摩可以使人倍感放松。我们可以通过一个人的面部和背部看出很多东西。甚至可以毫不夸张地说，我们正是通过这两个地方的肌肉在面对整个世界。眼睛吸取和释放能量，而皮肤则反映了我们的情绪状况和所经历的环境压力。由于皮肤很敏感，所以按摩者要确保自己站或者坐在牢固的位置，才不至于会斜压着被按摩者，或者拉扯其皮肤。可以使用凳子或者垫子来解决这一问题。如果被按摩者的皮肤看起来特别干燥紧绷，就需要在手上涂抹少量按摩油，擦到其面部。

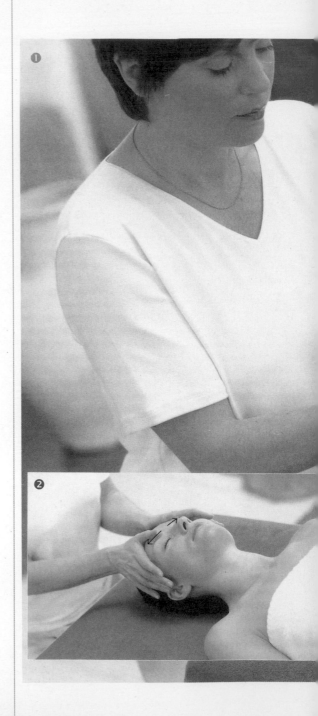

❶ 要使被按摩者额头放松，减轻其精神压力，先用双手拇指指腹在被按摩者额头中间按压。一直向下按压到其发际，重复几次。

❷ 如图所示，用整个拇指平抹被按摩者前额。

❸ 接着用手掌和掌根渐渐施加稍重的压力，进行上述按摩。双手应该滑过该部位，而不是拖拉过去。

❹ 沿着眉毛上方朝太阳穴划出眉毛的轮廓，同时用拇指指腹按压。要小心翼翼地做这些动作，想象你正把压力从其面部中间拉走。你将会注意到，你双手滑过的地方会有非常细微的变化，这些变化是非常重要的。

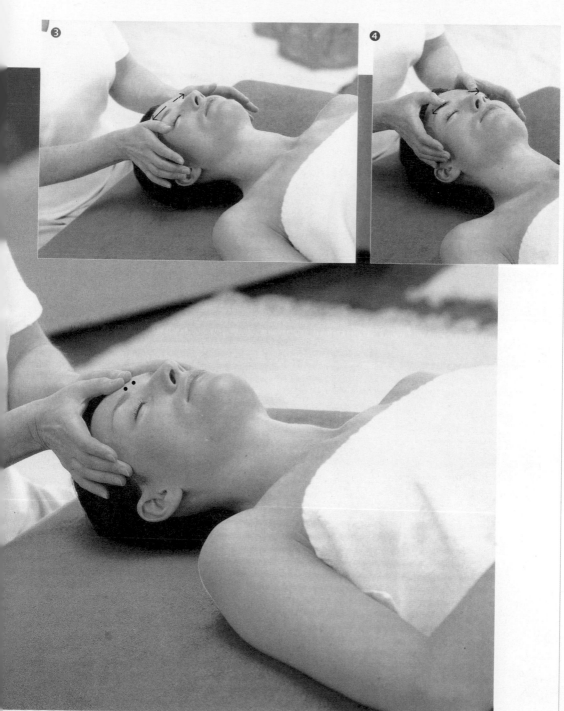

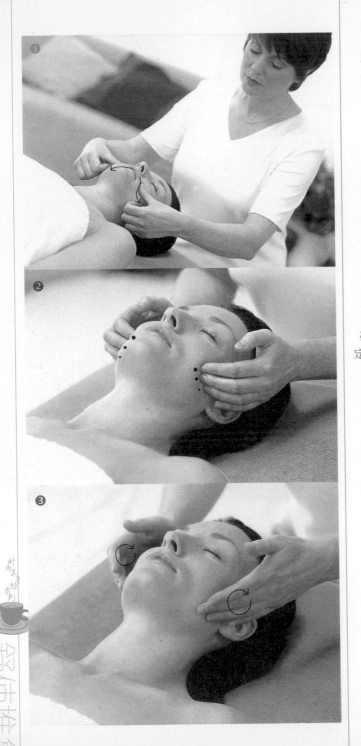

面部反映人的压力，这一点可以从其面颊和下颌周围看出来和感觉到。在面部进行按摩，要把握好以下两者之间的平衡：既要向上轻轻提拉皮肤，又不能拉扯皮肤，而且要在需要的地方适当用足够大的力，以按压来产生有效的效果。每次都应以向上的运动来结束按摩，因为这样可以放松皮肤，容易使人微笑。如果被按摩者咬紧牙关，可以建议其把下颌往下拉。按摩者用几分钟时间放松自己的双肩，如果有必要，还应该甩甩手，注意：不应朝按摩表面的纵深方向按摩，要确保手上有足够的按摩油，一定要让自己的双手放松。

❶ 用双手拇指指腹在被按摩者的双颊上和颧骨下面拖拉几次。

❷ 用指尖轻柔但有力地沿着被按摩者的颧骨到耳边的直线的方向按压。

❸ 用指尖在其下颌周围朝着自己身体的方向自由地划圈，以放松此处肌肉。如果不能确定应该从哪里开始该动作，请被按摩者打开下颌，再关闭，观察肌肉是如何运动的。

❹ 为使下颌进一步放松，可以从下巴中间向外朝耳边拉，并轻轻挤压。在上唇和下巴上凹陷部位轻柔但有力地各压一下，结束该动作。

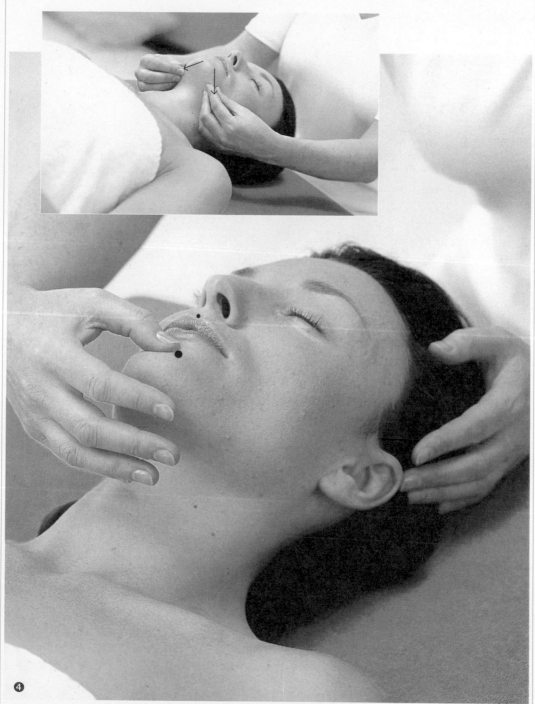

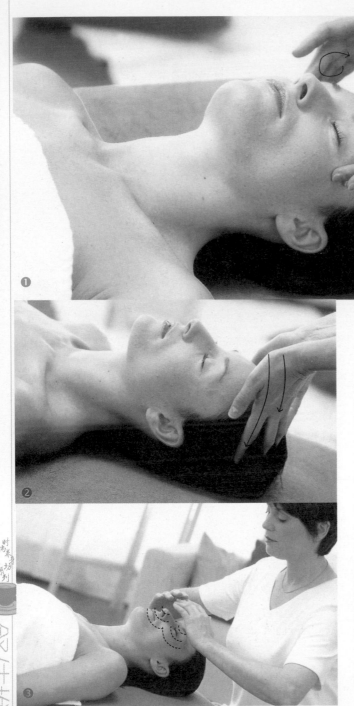

这套动作用于结束面部和头部按摩。一般来讲，头部和面部比较敏感，而且对这两个部位的按摩通常都有不少的误区。这些轻柔的、令人觉得抚慰的按摩技巧不太容易促使你与被按摩者互动，而只是令人心平气和。由于头部和面部对最微小的动作感觉都非常敏锐，因此必须小心翼翼地按摩该部位。放松思想，并且放松自己的双臂和双肩，确保自己的动作不要太接近被按摩者。突然的动作或者双手距离面部太近，都会令人感觉不适。反之，轻柔的按摩令人身体放松，心旷神怡，活力倍增。

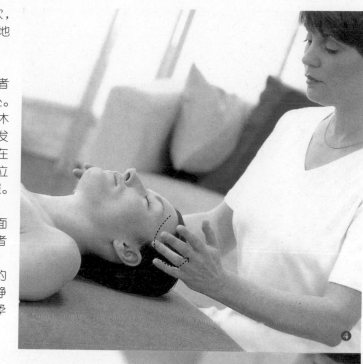

❶ 双手放在被按摩者太阳穴，朝自己身边轻轻地、缓缓地划圈。

❷ 如图所示在头顶滑抹。

❸ 小心地把双手放在被按摩者眼睛上方约12～15厘米处。此法有助于使眼睛得到休息。由于热量从你的双手发出来，因此要确保双手放在距离被按摩者眼睛适当的位置，以使被按摩者感到舒服。稍作休息，呼吸放松。

❹ 几分钟后，双手向头部后面滑动，但不要触及被按摩者的头部。

❺ 轻轻用双手捧住被按摩者的头，停留几分钟，体会平静的感觉。准备就绪后再轻柔地把双手移开。

❹

❺

按摩胸部非常重要，而且有很显著的效果。人的许多情绪都积聚在胸部，而且会引起呼吸不畅，肩部僵直。由于胸部也相当敏感，因此按摩也比较少在此部位进行。最重要的是放松。胸部与腹部和双臂有着特殊联系，就更需要放松胸部。有时被按摩者会觉得有点不自然，尤其是被按摩者是女士的话，则应避开双乳，沿着胸部中间往下按摩。如果被按摩者想使用小毛巾裹住双乳，也可以在毛巾周围进行按摩。按摩的最高境界是两个人都要感觉舒服。切记，要避开被按摩者敏感的脆弱的乳腺。

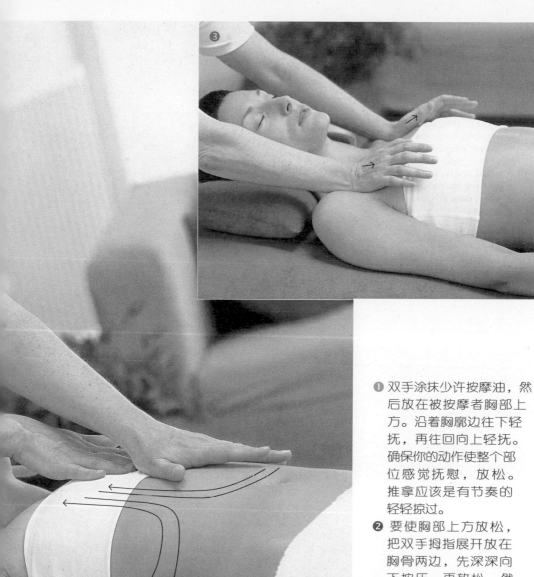

❶ 双手涂抹少许按摩油，然后放在被按摩者胸部上方。沿着胸廓边往下轻抚，再往回向上轻抚。确保你的动作使整个部位感觉抚慰，放松。推拿应该是有节奏的轻轻掠过。

❷ 要使胸部上方放松，把双手拇指展开放在胸骨两边，先深深向下按压，再放松。然后向外重复进行。

❸ 要达到深度放松的目的，掌根向下，稍微向前按压。确保使被按摩者感觉舒服。

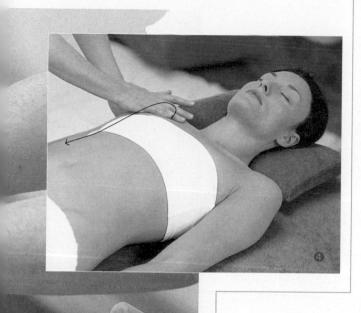

接下来的几个动作有助于放松肋骨之间的肌肉，使胸廓活动更自如。被按摩者呼吸时，按摩者应该注意观察其身体活动的特点。被按摩者平躺下来时，胸部应该比较平静，而且横膈膜和下腹部会感觉放松。耐心引导，使其肩膀放松，则可以同时放松胸部，并促进其自然均匀地呼吸。身心轻松自如后，呼吸自然而然就逐渐放松了。如果把注意力集中在呼吸上，或者试着改变呼吸的方式，有时反而会使人心烦，甚至更加紧张。如果觉得被按摩者的胸部紧张，就应该等一会儿，同时可以做一些放松练习。你自己的肩膀也要放松，确保自己呼吸自然。近距离按摩常常会使双方互相影响，互相适应。

❶ 站在被按摩者头部旁边，静静地走近，把两拇指放在其胸廓上的两块胸骨旁边。在最上边的两块肋骨中间按压，再放松。重复2次，并沿着胸部往下按。
❷ 靠近胸廓上方，把两拇指放在靠下的肋骨之间。向身体两侧轻抹。此动作可以在整个下胸廓多做几次。
❸ 在胸部向上抹回来。
❹ 最后，滑动整个手臂，以放松被按摩者的上身，将其身体和双臂有机地连接起来。

②

按摩完双臂后便可结束上身的按摩。随着胸部和肩膀的放松，循环会得到改善，能量也会增加。按摩时，可以把被按摩者的双臂放在你的肘部或者手中。要注意其左右两个手臂的反应的不同——左臂有点类似把令人着魔的竖锯拼装起来的感觉。

❶ 摇动被按摩者双臂，使其完全放松，柔软。如果其双臂特别重，用双手放在其手臂下面捧住，抬起来摇，这样会有所帮助。第一次让别人来承受自己四肢的重量，往往让人感觉比较奇怪，因此要耐心等到被按摩者放松之后再继续下一步动作。

❷ 从其肩膀下方开始，平稳地摇动整个手臂一直到手腕，必要时调整自己的位置。重复做几次。

❸ 用拇指按摩其肘部时，应该把被按摩者手臂支起来，然后再用力摇动手腕1次。确保被按摩者双臂保持放松。

❹ 用拇指或者其他手指在被按摩者的手腕背部按摩。开始按摩另一条胳膊前，再在其手臂上做下面的几个动作（见第93页）。

❶

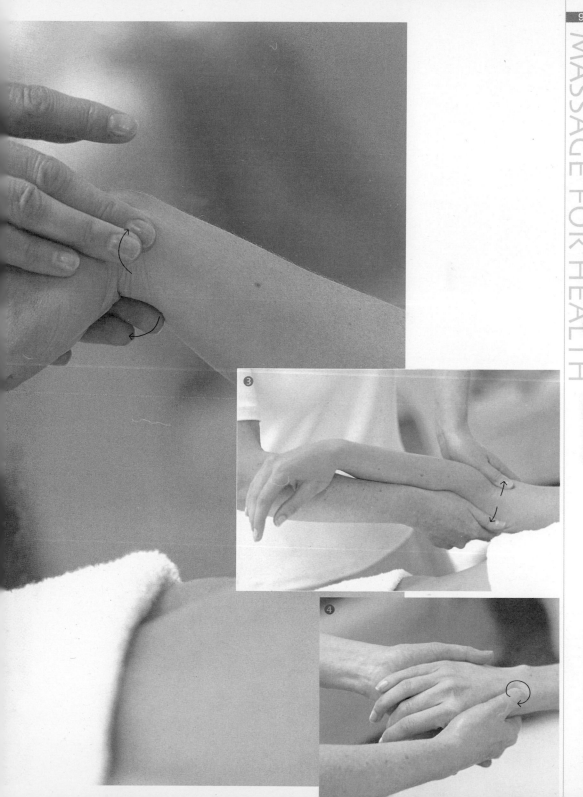

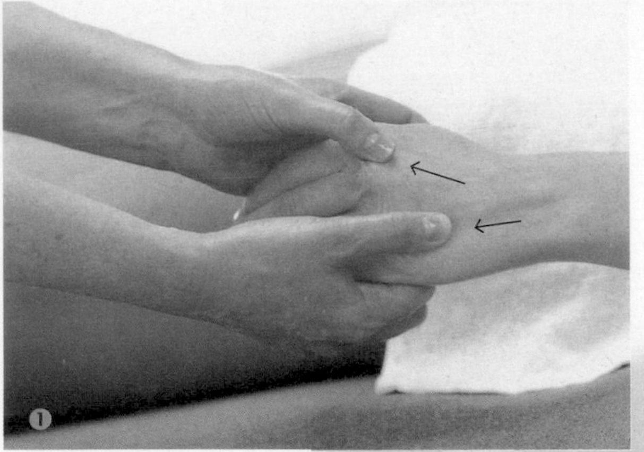

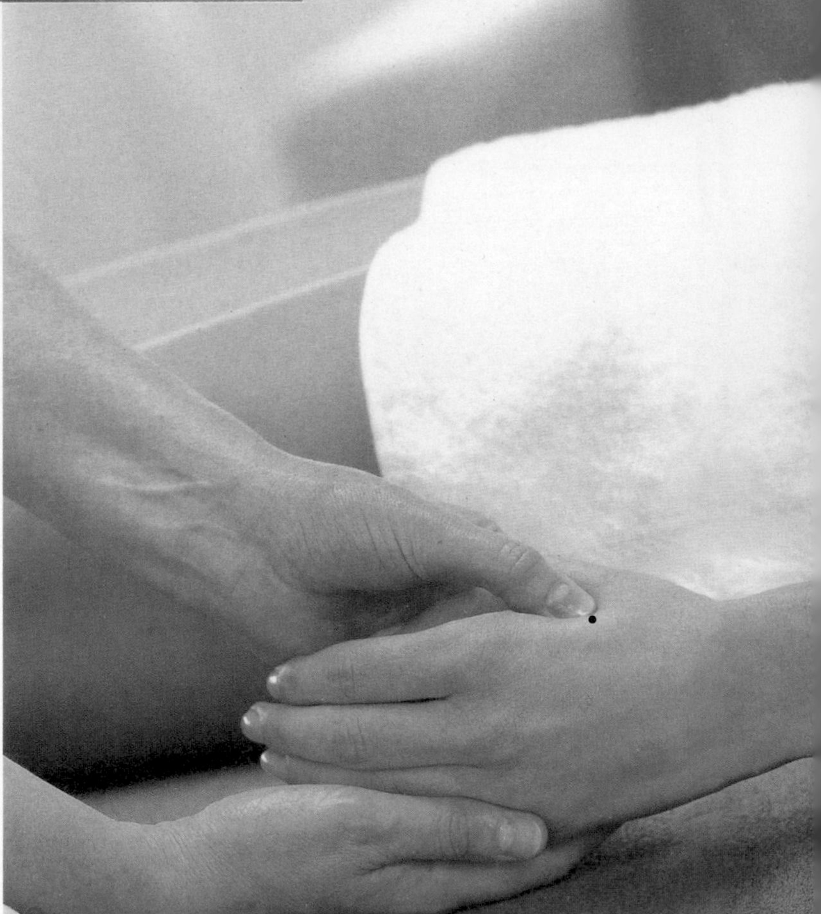

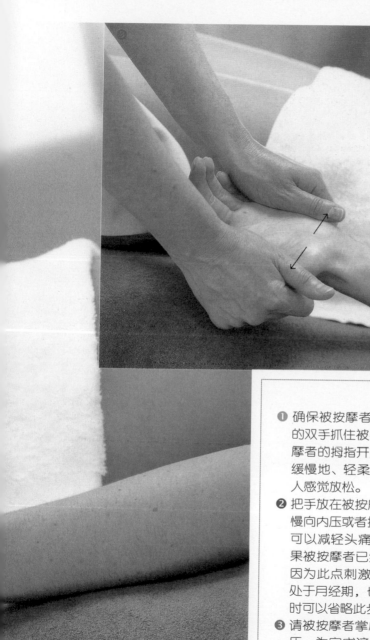

按摩双手能使人心旷神怡，浑身放松。我们的双手用得最多，仅仅是快速地按摩双手就能够让我们很好地重获能量。正如前面所提到的，人体的感觉能量中心位于手上。你要为别人按摩，你的双手就是你的工具，因此要小心呵护。必要时，在手上涂抹一些按摩油；如果被按摩者的皮肤干燥，就在其皮肤上也搽上按摩油。

❶ 确保被按摩者的手臂有东西支撑，用自己的双手抓住被按摩者的双手。从拉动被按摩者的拇指开始，向外沿着肌腱往下拉。缓慢地、轻柔地重复几次，这样可以让人感觉放松。

❷ 把手放在被按摩者一只手的虎口处，缓慢向内压或者挤一会儿，再放开。此法可以减轻头痛，帮助消化。但是，如果被按摩者已经怀孕，切勿使用此法，因为此点刺激太大。如果被按摩者正处于月经期，也会引起不适，因此必要时可以省略此步骤。

❸ 请被按摩者掌心向上，用拇指在上面挤压。为完成这一动作，可以快速地滑抹其整条手臂和双手，使其获得力量，减轻压力。结束时再轻轻滑抹几下，然后移动到被按摩者身体另一侧，按前述动作按摩另一只手臂。

腹部是身体非常重要的
一部分，同时它也非常敏感。
医生还可以在此部位进行深
度诊断。说起"中心"，我们
指的就是人的肚脐正下面的
部位。此部位应该感觉放松，
而且会随着呼吸而颤动。如
前面动作所示，在腹部进行
轻柔地滑抹，试探被按摩者
的反应，但要避免按压以防
引起不适。

孕妇怀孕最初的4个月，
应该避免腹部的按摩——这
时仅仅把手放在上面即可。
稍后，用轻抚法按摩，再轻
轻地打圈。

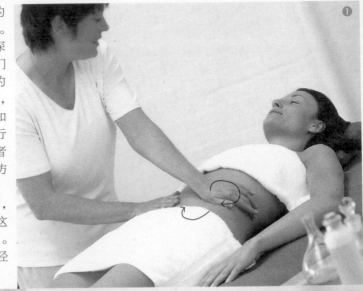

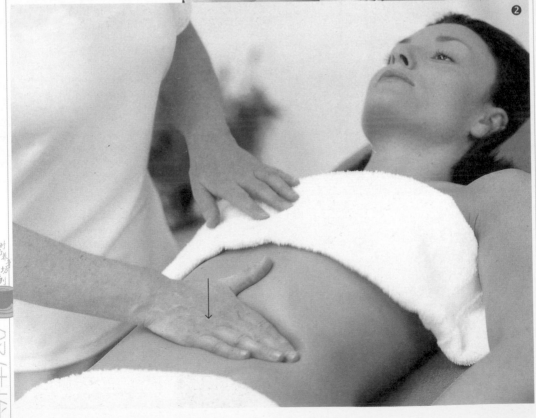

舒体推拿

时尚系坊系列

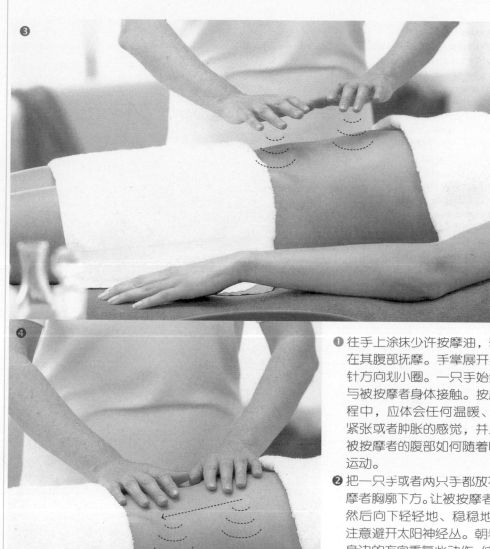

❶ 往手上涂抹少许按摩油，轻轻地
在其腹部抚摩。手掌展开按顺时
针方向划小圈。一只手始终保持
与被按摩者身体接触。按摩的过
程中，应体会任何温暖、寒冷、
紧张或者肿胀的感觉，并且留意
被按摩者的腹部如何随着呼吸而
运动。

❷ 把一只手或者两只手都放在被按
摩者胸廓下方。让被按摩者呼气，
然后向下轻轻地、稳稳地按压，
注意避开太阳神经丛。朝着自己
身边的方向重复此动作。结束后，
再在被按摩者身体另一侧重复
2次。

❸ 集中精神，且使自己思想平静下
来，双手放在被按摩者腹部上方。

❹ 缓缓放下自己的双手，一只手停
留在太阳神经丛下面，另一只则
停留在肚脐下面。想象放在肚脐
下面那只手开始充满能量，然后
再把靠上面的那只手抬起拿开。

在按摩快结束时，我们要按摩其双腿，并且在其双脚上完成整个按摩。此阶段关键要有整体感，要能感觉出身体的各个部分与其他部分的紧密相连。骨盆部分和下背部的力量及其姿势，以及上臀部和臀部的肌肉，都直接影响着腿的活动。如果这些区域的肌肉已经放松了，则身体循环和灵活性都会转好。一般来说，大部分人需要重获与地面接触的踏实感，可以向下放松身体。

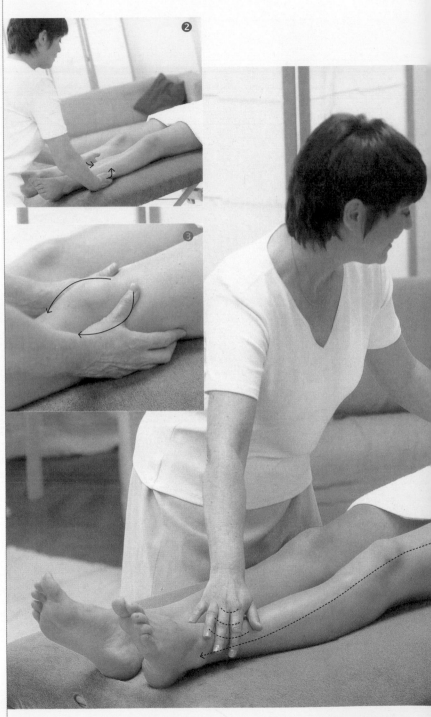

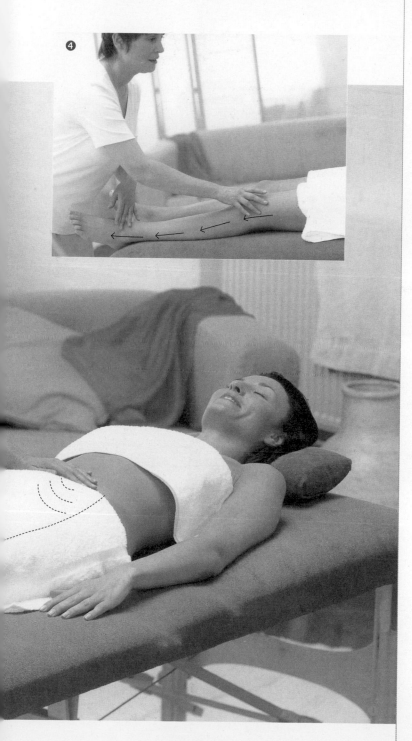

❶ 开始其他按摩次序前，
按摩其双腿，让被按
摩者感觉自己的腹部
和脚是一体的。确
保自己精力集中，
可以舒服地进行按
摩，并留意被按摩
者在按摩过程中
所表现出来的任
何特别的地方。

❷ 要放松肌肉，用
前面所述的动作
摇摆被按摩者的
腿，尽量从靠近
其臀部的地方开
始。重复几次。

❸ 用拇指在膝盖周
围转动。开始时
要轻柔，以确保没
有敏感的感觉，然
后再稍稍用力重
复，尽量轻地朝膝
盖内部按压。

❹ 轻松地滑抹腿部，
然后两拇指沿着踝
关节缓缓地转动。

人的足部有很多能量点。由于足部使我们与地面紧密接触，因此确保足部的关节和肌肉放松非常重要。至此，被按摩者已经可以感觉到自己的身体是相互连接的一个整体了。

❶ 一只手放在被按摩者足底，朝腿部的方向按压脚踝。

❷ 双手都放在被按摩者足部，拇指向两边抹。

❸ 要去除压力，顺着脚趾间向下拉，并滑抹整条腿。双手在脚趾上拉完后，结束按摩。再在另一条腿上重复。

❹ 现在应该把前面的整个按摩过程连接起来。向上接近被按摩者，双手放在其额头中间。在其头上轻抹，沿着其身体向下抹到其腹部。接着再按摩到其双腿，在其足底结束。想象能量流过你的双手。准备好后，轻轻移开双手。

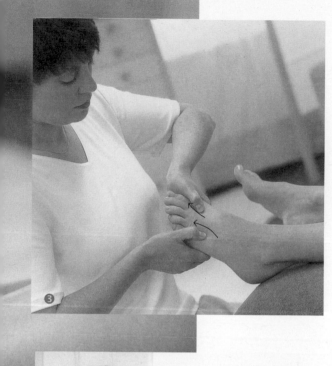

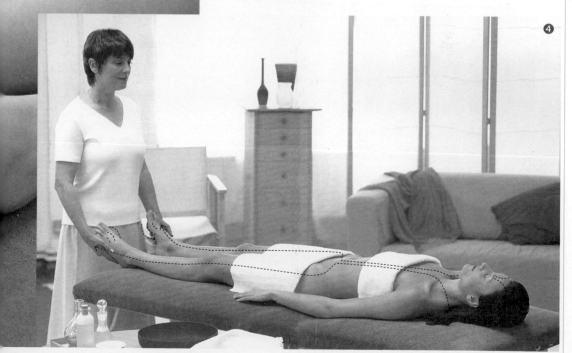

任何按摩的目的都是促进身体平衡和放松。在康复过程中，放松不仅非常重要，而且还可以最大限度地增加身体的复元力量。身体上的不适，可能表明我们处于压力之中。一套完整的舒体推拿可能治愈整个身体的不适，而且，如果是某些特别的原因引起病痛，那么，集中在病灶部位按摩会更有效。每次按摩开始前，都首先要注意被按摩者身体发出的各种信息。如果按摩进行不畅，可以先做几个简单的推拿动作，直至产生灵感。按摩时，大脑要保持清醒，切忌急于求成，因为治疗效果往往在按摩结束稍后一段时间才能显现出来。最后，你应该清楚你只能刺激自我康复——其余的工作就要靠被按摩者的努力了。

常见病痛

common
ailments

大脑和意识 I

神经系统掌管我们与外界环境相互影响的方式。它接受刺激或者引入信息，对之进行处理，并且产生相应的反应；同时，它还调节人体的消化过程，心率和呼吸。如果神经系统受刺激过度，反应就会关闭以减轻其负荷。这是对身体的保护，而不是疾病，该过程即是对压力的反应。这些压力可以引起一系列不同的症状，诸如紧张、没有活力、消沉、缺乏自尊等，还可以引起肌肉紧张、头痛和过度敏感。

1. 压力　请试试下节"压力"将要介绍的技巧

2. 失眠　请试试以下技巧：
- 揉捏上背部和肩膀，减少压力与紧张感。
- 用拇指在被按摩者足底打圈，能起到镇静作用。

3. 丧失性欲　请试试以下技巧：
- 在其下腹部转圈，使被按摩者放松。
- 在其腹部成对角扫动，使被按摩者放松，增加敏感度。
- 用掌根在其大腿上部和臀部打圈，减轻其压力，增加敏感度。
- 在其胸部向两边划开，使其心情和情绪平静下来。

4. 情绪低落　请试试以下技巧：
- 从其额头到头顶沿着一条线划小圈，以振奋精神。
- 在其上背部划大圈，抚慰被按摩者。
- 双手放在被按摩者腹部，积极思考，有助于减轻精神压力。

按摩师：来进行按摩的大部分人都面临着一种或者几种不同的压力。压力这个词已经到了被人们滥用的地步，但是，放松于我听起来如此简单，人们很少告诉我绝望感是什么。学会放松是最难做的事情之一。我记得有位女士，不仅高度欣赏按摩，而且彻底享受按摩。但是，她的结论是：按摩最终来说毫无益处。原因何在？她说："你会上瘾——你总是想多做一些！"

压力

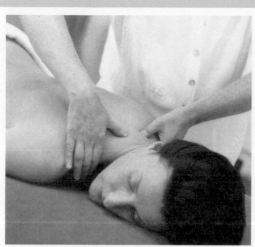

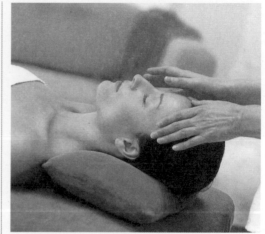

揉捏肩膀 用两拇指按压、挤压其上背部，并在上背部划圈。往其脊椎骨两边上下按摩肌肉，减轻压力感。

推拿额头 用两拇指在其额头中间轻轻向上推抹，减轻眼睛压力，放松双眼和额头。这个按摩的感觉就像水在波动一样。

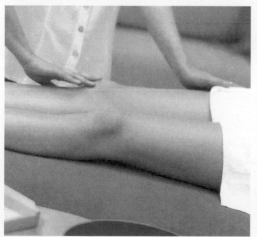

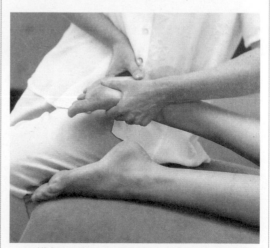

推抚双腿 轻轻推抚两条腿，可以放松下体。从其臀部开始，推抚至脚尖。在一条腿上重复推抚几次，再换另一条腿重复做。

推抚双脚 按压足底，并在足底打圈。然后从其足跟开始推抚足部，向下推抚至足尖。该动作可以使被按摩者放松，感到抚慰。

大脑和意识 Ⅱ

1. 头痛 请试试下节 "头痛" 将要介绍到的技巧。

2. 头前部疼痛 请试试以下技巧：
- 在其太阳穴打圈，使其放松。
- 用手指在被按摩者额头轻轻地划小圈，使其放松。
- 在其额头用力按压，减轻压力。
- 按压其各手指间的皮肤，以去除充血症状。

3. 眼睛紧张 请试试以下技巧：
- 用力在其眉毛上拉动，以减轻眼睛上方的压力。
- 用力按压下眼窝边的眼骨，使眼睛放松。
- 把双手放在眼睛上不动。

4. 偏头痛 偏头痛发生前后，请试试以下技巧：
- 揉捏其肩膀上方和颈部交界的地方，使被按摩者放松。
- 用两拇指轻轻按压其头盖骨底，减缓压力。
- 用手指在头皮上轻轻旋转，促进血液循环。

5. 后脑勺痛 请试试以下技巧：
- 从颈部下面划圈划到其头盖骨，使其放松。
- 用力在头部旋转，促进循环。
- 向上按压头部中间至头顶，减轻疼痛。

按摩师：受压力或者不好的姿势影响，许多病人都会头痛。随着他们学会放松，头痛会渐渐减轻。但是事情往往并非如此。一位有严重头痛病的男士得了一种绝症，而那种绝症只有到比较严重的状况才能确诊。我为其按摩头部时，他非常清楚按摩的保健作用。即使在人们无法为他做任何事情的情况下，按摩依然可以帮助他放松，为其提供暂时的解脱。

头痛

HEADACHES

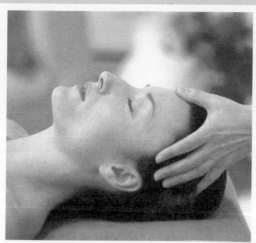

头痛压额 把两拇指放在被按摩者额头中间，发际下面，然后按压、放开拇指，沿一条直线向上按摩至头中间。

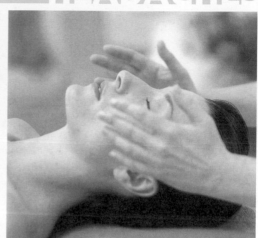

划圈 双手放在距离被按摩者头部12～15厘米的地方，或者至双手有刺痛感。朝自己身体方向缓缓地划大圆圈。想象自己正在驱散其疼痛。

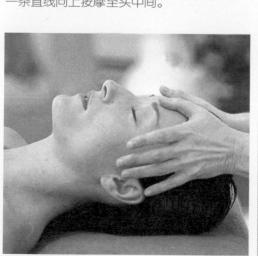

滑额 用两拇指放在被按摩者额头中间向两边拉动，释放其压力。然后把两拇指放在距离其头部上方5厘米的地方，重复该动作。

握头 用手捧住被按摩者头后。静止不动，放松。想象令人抚慰的能量正通过你的手释放出来。静止几分钟。

呼 吸

呼吸系统由自主神经系统掌管。肺不仅吸入空气，而且是一个重要的排泄器官。肺负责吸入空气、净化空气，并且把空气分散到体内各个部位，为身体提供能量。肺同时也受外围环境及神经系统和感情状态的影响。这就是当我们处于紧张状态时，我们的呼吸频率增加的原因。由于需要横膈膜和下腹部的参与，深呼吸使我们能够更完全地呼吸，并充分利用大部分肺。咳嗽、感冒、哮喘、鼻敏感（又称花粉热）和支气管炎是常见的呼吸系统压力引起的症状。

1. 呼吸浅促　请试试下节"呼吸浅促"将要介绍到的技巧。

2. 咳嗽　请试试以下技巧：
- 双手掬成杯形，按摩其上背部以去除淤塞，从而使呼吸通畅。
- 用两拇指按压上胸部的肋骨，使被按摩者平静下来。

3. 鼻窦炎　请试试以下技巧：
- 按压其颧骨下面的部位，减轻其压力。
- 按压其鼻翼，帮助减轻淤塞。
- 向上按压其额头中间，分散其压力。

4. 感冒　请试试以下技巧：
- 按压各个手指间的皮肤和虎口，以去除淤塞。
- 按压两眉毛中间，减轻压力。
- 按压上背部脊椎骨两边的肌肉，促使被按摩者放松。

按摩师：我们呼吸的方式能够反映我们放松的程度，有时我们需要一些练习来帮助自己放松。近来，我的一个病人感到焦虑，对生活感到失望，经常做噩梦。即使躺下来，她也呼吸紧促，甚至感觉自己几乎难以呼吸。我建议她做一些简单的练习。她每天早晚坚持做此练习，现在渐渐感觉越来越好。

呼吸浅促

SHALLOW BREATHING

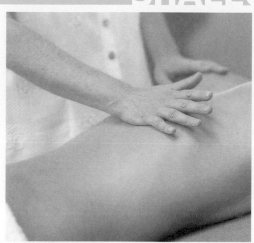

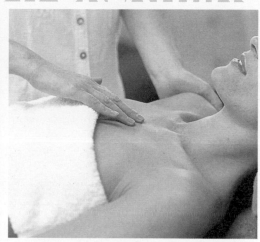

划圈 把手放在两块肩胛骨之间，在上背部逆时针方向缓缓地划大圈。这使人感觉抚慰放松。

推胸 要放松上胸部，用拇指和其他手指向下轻轻抚摸胸部。想象自己正平静地引导被按摩者全身放松。

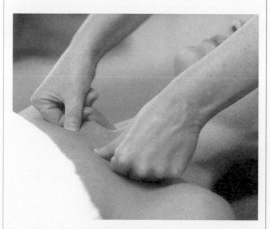

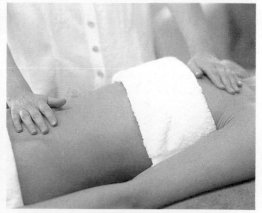

压肋 在被按摩者旁边斜靠着，把两拇指放在其两边胸骨上的肋骨间。按压，再平稳放开，将其压力释放出去。

平衡 一只手轻轻地放在其上胸部，另一只手放在其下腹部，静静地等被按摩者身体放松，呼吸变深沉、均匀。

循环

循环系统由自主神经系统控制。在做某些动作或者面临压力时，交感神经会使呼吸速度和心率加快。淋巴系统源于血管，在人体免疫系统中起着重要的作用。按摩可以增强血液循环，并帮助血液回流到心脏。循环不畅、高血压或者低血压，心悸和静脉曲张，都是循环系统可能出现的问题。有高血压或者心脏病时，可以通过按摩减轻压力，但是必须先向医生咨询。

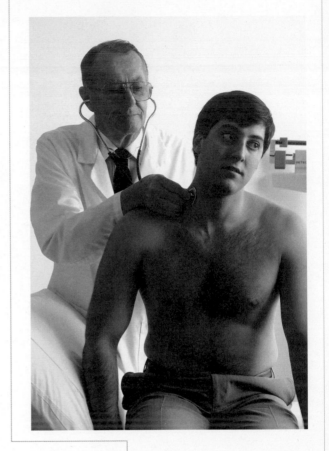

1. 循环　请试试下节"循环"将要介绍到的技巧。

2. 脚踝肿胀　请试试以下技巧：
- 在病灶部位划圈以增强循环。
- 向上按压小腿，帮助排出积液。

3. 高血压　请试试以下技巧：
- 在其身体上轻抚，使被按摩者放松。
- 轻轻地在其太阳穴上划圈，帮助减轻压力。

4. 心悸　请试试以下技巧：
- 在身体前部向下滑抹，使循环系统平静下来。
- 滑抹额头，帮助消除焦虑恐慌。

按摩师：遇到有心脏病的病人我总是很谨慎。但是，只要得到医生的首肯，按摩确实起到了很好的作用。按摩可以减轻等待手术时的紧张，促进康复。有一家医院告诉我的病人，说他们希望能够为每个病人提供按摩治疗。另一个病人把按摩拟入降低自己血压的计划中。几周后，其血压就恢复正常了。

循环

CIRCULATION

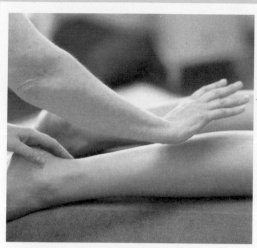

抚脉 双手放在距离被按摩者双腿5厘米处，避免接触静脉曲张部位，然后向上轻抚病灶部位。朝心脏方向重复轻抚几次。

搓手 揉搓、摇动被按摩者的双手，挤压手指，使其手指变暖和。然后向上按压，刺激血液循环。朝手腕方向重复做。

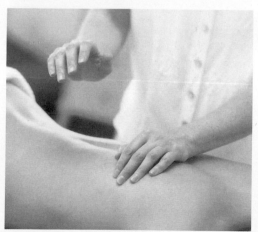

拍背 把手凹起形成杯状，轻快地拍打被按摩者背部，可以促进其背部的循环。切忌直接敲打其脊椎骨。

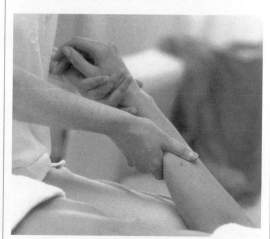

排液 扶着被按摩者手臂，朝着肘部向心脏方向挤压其手臂的肌肉。用拇指和其他几个手指用力按压，促使肌肉排出积液。

消 化

消化系统由自主神经系统控制。人体处于放松状态时，消化系统可以正常运转，但是人体面临压力时，腹腔供血减少，消化系统处于紧张停滞状态，人体就会觉得太阳丛周围感觉敏感，并且有灼热的疼痛感。消化系统关系着人体的吸收功能，并把营养成分传送到人体各处。如果人体不能消化这些营养物质，就会引起腹泻或者便秘，而且容易出现一些其他症状，例如胃溃疡、胃灼热、肠胃气胀、过敏性肠综合征和疲劳等。最理想的情况是：腹部自然放松、饱满，不受约束，并非我们被一再告知的"要收腹"那样。

1. 消化问题　请试试下节"消化问题"将要介绍到的技巧。

2. 胃气胀　请试试以下技巧：
- 轻轻地用手按压肋骨下面，帮助消化。
- 在胃部上面轻抚，使其镇静下来。

3. 胃痛　请试试以下技巧：
- 把手放在距离胃5厘米处，以舒缓其疼痛。
- 揉抚腹部以减轻其压力。

4. 便秘　请试试以下技巧：
- 按压拇指与食指之间的虎口，以刺激排泄。
- 用力轻抚，并用指尖轻揉下腹部，促使肠胃放松。

按摩师： 人的意识非常奇怪。有一天，我刚刚为一个病人做完头部和面部按摩，他看起来非常愉悦，很放松。但是，当我移动到其侧面开始按摩其腹部时，我看见他从眼角斜看着我。我问他一切还好吧。他回答说很好，只是感到很迷惑，因为他觉得我的手还放在他头部。

揉背 把手伸展开，在被按摩者背部中间沿逆时针方向大幅度揉动，动作越缓和越好。

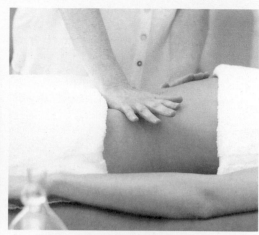

抹腹 双手放在被按摩者腹部，成对角线方向，分别向胸阔和臀部拉开。双手要完全伸展开，重复此动作时用力要稍大。然后再换相反的对角方向重复前述动作。

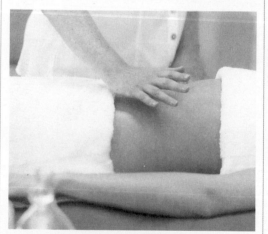

释放 把手放在被按摩者下腹部上方5厘米处，可以减轻疼痛。想象你正释放其压力，减缓其充血。感觉到有变化时再把手拿开。

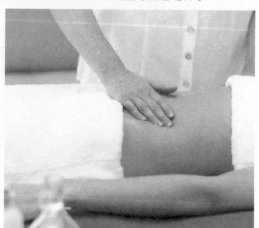

揉腹 在被按摩者小腹上沿着顺时针方向，用手指划一系列的小圈。在肌肉紧张部位重复划圈，帮助其放松。

消化问题

DIGESTIVE PROBLEMS

生殖

面对突如其来的危险时，生殖系统并没有出现人体主要的反应，这一直也不惊奇；但是在有压力时，生殖系统供血也会减少。由于受自主神经系统控制，情绪是否稳定和身体状况也会影响生殖健康。其中最常见的一些问题有痛经、周期不准、经前紧张、性欲低下和更年期综合征。怀孕前和怀孕中接受按摩都非常安全，而且可以防止液体在体内积聚和怀孕后期身体上的不适。但是，切忌使用刺激性的推拿。一定要轻轻地按摩，尤其在怀孕初期的4个月内，应该避免直接按摩腹部。

1. 痛经和经前紧张 请试试下节"痛经和经前紧张"将要介绍到的技巧。

2. 怀孕 请试试以下技巧：

- ·柔和地轻抚其整个背部，以解除紧张和不适。
- ·用拇指在其脚面抹，以去除疼痛。
- ·抚抹其双手和太阳穴，使其放松抚慰。
- ·将双手轻轻地放在其腹部，给予支撑。

3. 更年期不适 请试试以下技巧：

- ·引流其腓骨和股骨，以减少液体积聚。
- ·揉捏其臀部和股骨，刺激肌肉排出积液。
- ·轻抚皮肤表面，并抹上营养液，以防止皮肤干燥。

4. 水潴留 请试试以下技巧：

- ·沿顺时针方向揉被按摩者腹部，以缓和肿胀。
- ·逆时针方向揉其下背部，以刺激排水。

按摩师：需要是个伟大的老师！一位朋友的姐姐因痛经而痉挛，躺在沙发上抱着一个装满热水的瓶子，大声叫喊着。经过揉抚其下背部后，她的疼痛渐渐地得到了缓解。这个例子现在已经成了一个标准的模板。当时，为了给她按摩，一个朋友利用了很多垫子、特别的工具和地板，才找到一个自己舒服而又真正合适的位置为她按摩。

痛经和经前紧张

MENSTRUAL PAINS AND PMS

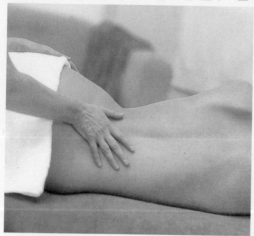

揉背 双手逆时针方向揉抚被按摩者下背部和骶骨，减轻其经期疼痛。双手的热量有助于患者放松。

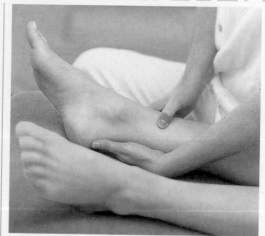

压踝 要减轻经前紧张和痛经，可以把双手放在小腿上距离脚踝大约3个手指远的地方，用拇指按压该处的骨头。

注意：如果被按摩者已怀孕，则请勿使用此法。

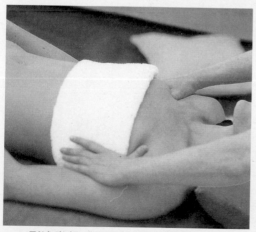

引流胸部 把两拇指放在胸部上方，分别向其两个腋窝方向拉动，可以缓解其乳房胀痛。应该避免按压任何易触痛的部位。

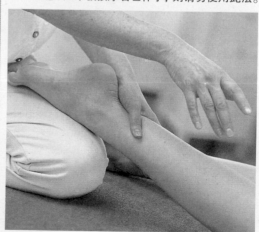

引流腿部 从其脚踝开始向上挤压，刺激腓骨上的肌肉，以减轻水潴留。在虎口处可以加大力度。

肌肉疼痛 I

骨骼肌处于我们的意识控制之下，由中枢神经系统掌管。外界的刺激传送到骨髓和大脑后，通过末梢神经产生了行为的冲动。代谢物通过静脉和淋巴系统排出体外。长时间的肌肉收缩会影响肌肉排泄，降低关节的机能与灵活性。在压力之下，人体通常会感觉到局部麻木，甚至会丧失知觉。我们的肌肉以及体形反应了人体持续的新陈代谢过程。常见的一些并发症有：背痛、反复性扭伤、肩膀僵硬、关节疼痛、坐骨神经痛等。

1. 颈部和肩膀　请试试下节"颈部和肩膀"将要介绍到的技巧。

2. 轻度坐骨神经痛　请试试以下技巧：

· 在骶骨处划圈使其放松。

· 用拇指按揉骶骨，以减轻疼痛。

· 小心揉捏其臀部，改善循环。

3. 下背部紧张　请试试以下技巧：

· 两手朝背部对角方向滑抹肌肉，促使其伸展开。

· 按压脊椎骨两侧的肌肉，使其放松。

· 揉其下背部，促进其放松。

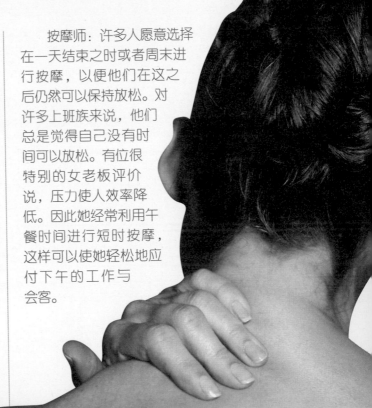

按摩师：许多人愿意选择在一天结束之时或者周末进行按摩，以便他们在这之后仍然可以保持放松。对许多上班族来说，他们总是觉得自己没有时间可以放松。有位很特别的女老板评价说，压力使人效率降低。因此她经常利用午餐时间进行短时按摩，这样可以使她轻松地应付下午的工作与会客。

时尚养生坊系列

舒体推拿

颈部和肩膀

NECK AND SHOULDERS

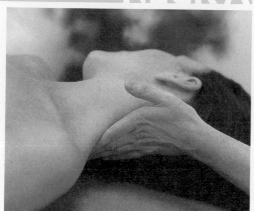

压颈 把被按摩者的头转向一边，一只手放到其肩膀下面，并把手指沿着脊椎骨向上牵拉到其头盖骨底。

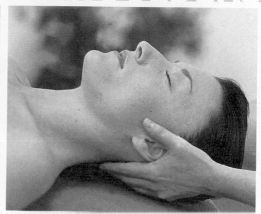

拉颈 双手稳当地放在被按摩者颈部下面，稍稍把头抬起，双手缓缓地向头盖骨底滑动，温和地把头向自己身边拉动。

按肩 一只手扶着其肩膀前面，然后用拇指和其他几个手指沿着其肩胛骨直线方向按压。向内用力，按压肩胛骨。

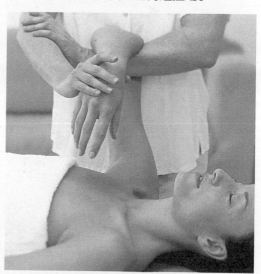

抬臂 把被按摩者的手臂弯在自己的一只胳膊上，另一只手握住其手腕。先轻轻地把其手臂拉向自己，然后再向上拉。缓缓地重复前述动作。

肌肉疼痛 Ⅱ

1. 脚踝扭伤 请试试下节"脚踝扭伤"将要介绍到的技巧。

2. 脚痛 请试试以下技巧：
- 用拇指抹其脚背，使肌肉放松。
- 揉其脚踝，促进血液循环。
- 按压其足底，减轻疲劳。

3. 反复性扭伤 请试试以下技巧：
- 在其肩膀周围轻抚，揉捏，使该处肌肉放松。
- 用拇指轻轻地抹其前臂，减轻肌肉紧张。
- 按压其手背，拉手指间的肌腱，缓和肌肉收缩。

4. 抽筋 请试试以下技巧：
- 揉捏其腿肚上的肌肉，缓和肌肉收缩。
- 用力按压其足底，减轻痉挛。

5. 面部紧张 请试试以下技巧：
- 滑抹其眉间，使其面部变得柔软。
- 揉动其脸颊，促使其放松。
- 揉其太阳穴，缓和烦躁情绪。

6. 臀部僵硬 请试试以下技巧：
- 揉捏其臀部，增进血液循环。
- 按压其髋关节周围，放松该处肌肉。

按摩师：一位女士的脚踝在滑雪度假时摔断了。经过几个星期的打石膏物理疗法之后，她觉得还应该恢复得更快一些。开始我只是按摩其脚踝，然后等其恢复得硬朗一些后，我开始按摩其脚踝周围。这时她觉得有刺痛感，而且感觉到在这之前的疼痛感。现在，她仍然在恢复活动，但经常还会感受到"康复前的黑暗"。

脚踝扭伤

ANKLE SPRAIN

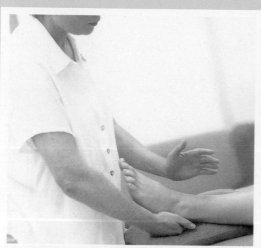

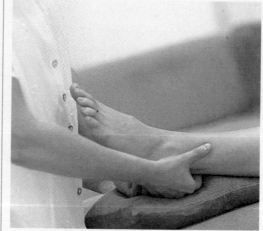

揉踝 把手放在其脚踝上方。先体验一下感觉，然后把手拿开。接着先小幅度地揉抚病灶部位，再揉其周围比较远的部位。

引流 托起被按摩者的脚，朝腿边方向按压，刺激排泄。一定要在其肿胀部位正上方按摩，而且应该轻轻按压。如果皮肤发红，则应该从稍微高处开始按压。

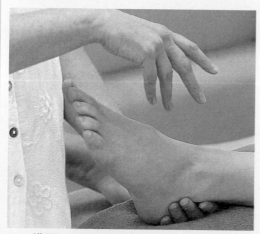

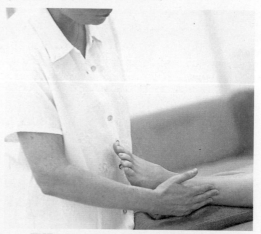

推踝 把手放在其脚踝正上方5厘米处，和缓地向下滑抹脚面和脚趾。想象你正帮助其减轻发炎。

压踝 托起病人的脚，轻轻地揉压没有肿胀的部位，这有助于减轻疼痛和排出淤血。

　　康复过程的一个重要组成部分是学会自我保健。自我保健可以成为我们放松身体、保持健康以及治疗微疾的日常活动；它还可以提供实验的机会，使我们获得新发现，增强按摩的信心。自我保健是个学习的过程，因此要相信自己身体发出的各种信号，找出适合自己的按摩方式。我们常常只顾别人的需要而忘记自己的需要，其实我们自己更应该放松身心，发展兴趣和对自己负责。一切与我们自身息息相关的事情，都对我们自身的健康、幸福和成长至关重要。

SELF
HEALING

自我保健

人体本身都有自我康复的能力。一旦自己的自我康复能力衰竭时，或者感到不知所措，又或者不知什么地方出问题时，我们就会向别人求助。别人为自己按摩，不仅可以使我们重获信心，而且能够激活自我康复能力。别人的能量输入，可能会超过我们自身所拥有的，因此可以供我们使用。当我们生病时或者举步不前时，别人为自己按摩还有助于我们更好地保持清醒状态。但是，康复最终要靠自己的力量，即自我康复。除了一些特殊情况，任何人并不能真正地帮助我们实现康复。不论我们愿意请别人帮助自己康复，还是愿意自己进行日常保健，我们都需要经常帮助自己。我们需要真正地安静下来听听自己身体的声音，而非被迫接受外界的声音。为自己按摩，也有助于学习按摩，练习按摩技巧，找出适合自己的按摩方式和不适合自己的按摩方式。然后，当别人为自己按摩时，就可以应用这些获得的信息。

下面是一些十分简单的技巧，用于按摩主要的能量区域。这些按摩技巧有助于我们增加能量，振奋精神。紧张性头痛是大部分人常见的问题，轻轻的按摩加上下面介绍的一些技巧，能够驱除身体的疼痛感，改善精神状态。

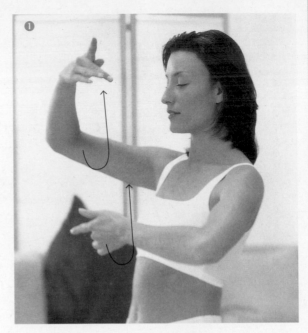

❶ **双手向上盘旋** 将双手放至离身体约20～25厘米远的地方，从胸部上方向上轻轻提起，盘旋直至脸部和头部。两只手间歇地以轻快的方式完成这些动作，以振作精神。

❷ **双手向下盘旋** 以相反的方式完成上述动作，从头的上部向下盘旋双手。这次，双手应以较重且缓慢的方式移动。要有节奏地从脸部至胸部上方重复这些动作，且时刻保持双手与身体同样的距离，以此达到放松和镇静的效果。

❸ **双手横向拉过额头** 如果想减轻紧张性头痛，使自己放松下来，可以先直接推抹额头，然后把手放在距离额头约10～12厘米处。注意于心的感觉和头痛的反应，尽量想象自己在舒缓头痛。

❹ **向两边拉动双手** 继续做第三步的动作，双手在额头上方缓缓地向头部两边拉开。动作要勾勒出头部的轮廓，同时从精神上使自己放松。想象你正释放头部所有的紧张和疼痛，必要时多重复几次。

每天花一些时间使自己停下来集中精力——也即静下心来，这非常重要。

刚开始时，这需要一段时间的练习，在这之后，你就会觉得习以为常。虽然我们不能整天进行内省或者自我检讨，但是我们确实应该时刻清楚自己身体内部发生了什么变化——否则，这些变化就有可能给我们带来不良后果。每天给自己几分钟放松的机会，对健康生活至关重要。另外，如果你感觉紧张，有压力，可以为自己按摩一会儿，使用一些保健技巧，平静地深呼吸几次。这些都可以使我们的身心得到放松，因为思绪的平静可以减轻压力，使我们的思维更清晰，并且能避免耗费神经的力量进行无休止的思考。

在自己身上练习按摩技巧时，注意力应该集中在自己的感觉上，留意每次感觉不同的情况。每次按摩时，脑子中一定要有个明确的目的，例如要放松自己的呼吸。还要注意自己平常的感觉——一般来说，多数人会感觉上胸部比较闷。然后，如果想产生新变化，就要把注意力进一步集中。通常情况下，我们体内的能量方向不定，也不在某个部位集中，这将影响我们的整个身体康复过程。要记住：不论是给自己按摩还是为别人按摩，重要的是要把精力集中到被按摩者身上或自己身上，而且要时刻想着他（或者自己）正在转好。这种感觉不仅有助于运动员在比赛中获胜，类似的技巧也经常用在商业活动中。

❶ **在额前划圈** 要减轻悸动性头疼，需要先按摩头部，使肌肉放松。然后，把手放在身体前方，距离额头正中约10~·13厘米处。想象自己正在舒缓疼痛，同时小幅度缓缓地在额前划圈。

❷ **向身体远处拉** 把手放在上面的同样位置，想象你正在把疼痛拉离身体。然后把手移动到距离身体向外5厘米处，重复前述划圈动作，体会与上面步骤中的感觉有何不同。把手靠近身体再拉远，持续到疼痛减轻。

❸ **放松呼吸（一）** 找个舒服的位置坐着、站着或者躺着。一只手放在上胸部，另一只手则放在太阳丛上。自然呼吸，注意呼吸时胸部内部的活动。如果感觉紧张，稍微放松一下。双手放着别动，注意观察。

❹ **放松呼吸（二）** 把放在上胸部那只手移动到太阳丛，另一只手则向下移到下腹部。自然呼吸，集中注意双手发出的热量。不要试图做任何事情，只留意有没有感觉不同即可。把注意力集中到双手和轻轻的呼吸节奏上。

❹

关爱自己

LOOKING AFTER YOURSELF

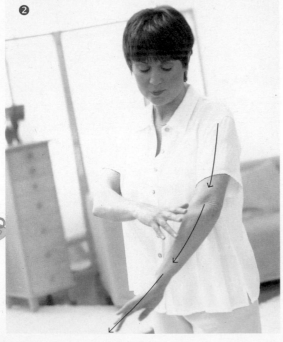

作为按摩师，我们放在自己身上的注意力总是最少的。很奇怪的是，会照顾别人的人总是不会照顾自己。如果你经常给别人按摩，可能就会变得更加不会照顾自己。

关爱自己，保持健美和健康都很重要，而且有助于增强自己的按摩能力。为了进一步提高自己的按摩技巧和理解力，我积极建议按摩师应该经常放松自己，调节自己的生活，适当参加一些体育活动，例如可以练练瑜伽，打打太极拳。这样做有助于保持头脑清醒，改善按摩效果。每次给别人按摩之后一定要呵护一下自己。洗手不仅是为了保持卫生，还能够防止你吸收被按摩者的压力。通常，我们会建议按摩师学习一些"清洁"技巧，并花时间使自己精力集中。这样可以防止"耗尽"自己的精力。

因此，对按摩师来说，经常性地接受按摩不仅有意义，而且至关重要。至少这可以不断提醒你，按摩实际上感觉很美妙。在被按摩之中，你还可以获得新的体会。

按摩要求按摩师严格自律，并要全神贯注地沉浸在按摩中。因此可以说，按摩本身就是一种很奇妙的艺术。为了保持好的状态，一定要经常放松，休息休息，开心玩玩。

❸

❶ 清除头部周围 每次按摩之后都要洗手。为了消除自己身体可能接受的任何压力，你应该清除自己的生命能量场。具体做法是：双手放在身体前面，依次在面前、头周围和肩膀周围伸开双臂，向外推。重复做几次。感觉就像在呼吸新鲜空气。

❷ 清除双臂 清除完头部周围后，手向下抹过双臂和身体前面。然后再把手从后面伸到肩胛骨边，再往下抹过背部，一直抹至地板。双手始终保持在距离身体5厘米处，直到感觉轻松一些，觉得情绪和意识都有变化为止。

❸ 集中精力 要使自己放松，可以先让双肩自然放松下垂，双脚着地舒服地坐着。想象自己从头到脚都在放松，而且要真正地感觉自己在放松。同时，把所有神经的能量从脚底释放出去。把自己的注意力集中到与地板的接触上。

　　按摩能够创造奇迹。你和被按摩者两个人在一起共同享受这美妙的时刻，实在是太宝贵了。要自信被按摩者能够最大限度地享受你的按摩，并能从中获益匪浅。因此，任何时候当你怀疑自己的按摩功效时，要坚决对自己说不。

　　康复按摩能够激励人们的活力，改变人们的态度，帮助人们度过危机，使他们身心健康。关键要记住的就是，当你感觉到某股东西正在流遍你的身体时，那就让它流动吧。这表明，真正的按摩已经在开始进行。

NOTES

30天打造
纤纤玉腿

1小时拥有
漂亮肌肤

面向白领女性

提供多种创造"美"的选择

助您内外兼修，实现形体健美

完美展现 您的最"魅"一面

秀出女人的 魅

魅力升级

10分钟秀出
亮丽容颜

4周塑造
比基尼身材